S0-ARA-951

rororo

Boris Meyn, Jahrgang 1961, ist promovierter Kunst- und Bauhistoriker. Er hat zahlreiche wissenschaftliche Fachpublikationen zur Hamburger Architektur- und Stadtgeschichte veröffentlicht. Sein erster historischer Roman «Der Tote im Fleet» (rororo 22707) avancierte in kurzer Zeit zum regionalen Bestseller («spannende Krimi- und Hamburglektüre», so die *taz*). Auch «Der eiserne Wal» entführt den Leser ins Hamburg des 19. Jahrhunderts, wobei erneut historische Realität und Fiktion raffiniert miteinander verflochten werden. Boris Meyn lebt und arbeitet in Schleswig-Holstein nahe Schloss Wotersen.

BORIS MEYN

Der eiserne Wal

EIN HISTORISCHER
KRIMINALROMAN

ROWOHLT TASCHENBUCH VERLAG

2. Auflage Oktober 2002
Originalausgabe
Veröffentlicht im Rowohlt Taschenbuch Verlag
GmbH, Reinbek bei Hamburg, Oktober 2002
Copyright © 2002 by Rowohlt Taschenbuch
Verlag GmbH, Reinbek bei Hamburg
Autorenfoto Umschlagrückseite: Peter Schwenkner
Karte Seite 2/3: Kartenausschnitt
Hamburger Stadtplan von 1868
(Staatsarchiv Hamburg)
Tafelteil: Fotografien G. Koppmann & Co.
(Staatsarchiv Hamburg)
Umschlaggestaltung any.way, Cathrin Günther
(Foto: G. Koppmann & Co., Hamburg
Aufgenommen im Auftrag der Bau-Deputation, 1877
Abfotografiert von P. Grassmann,
mit freundlicher Unterstützung von Werner Thöle,
Staatsarchiv Hamburg)
Satz Caslon 540 PageMaker bei
Pinkuin Satz und Datentechnik, Berlin
Druck und Bindung Clausen & Bosse, Leck
Printed in Germany
ISBN 3 499 23195 6

Die Schreibweise entspricht den Regeln
der neuen Rechtschreibung.

Geschrieben auf einem Jens-o-mat

*H*amburg im Jahre 1862 – mehr als ein Jahr nach Öffnung der Stadttore. Mit Aufhebung der Torsperre setzt innerhalb weniger Jahre eine rasche Bebauung in den Gebieten jenseits des ehemaligen Wallrings ein. Neben den bereits erschlossenen Vororten, St. Pauli und St. Georg und Teilen des späteren Karolinenviertels, konzentriert sich die Stadterweiterung vor allem auf die Regionen rund um die Außenalster sowie die Gebiete des Hammerbrooks. Die nächstgelegenen Landgemeinden, etwa Eimsbüttel, Rotherbaum und Harvestehude sowie die Uhlenhorst, werden zunächst zu Vororten und später in Stadtteile umgewandelt.

Hamburg hat sich seit dem Großen Brand von 1842 und dem daraufhin einsetzenden Modernisierungsschub innerhalb von zwei Jahrzehnten zu einer modernen Metropole entwickelt. Viele Straßenzüge werden nachts bereits mit Gaslaternen beleuchtet, unterirdische Leitungen versorgen die neuen Häuser mit Frischwasser, und für die Abwässer gibt es ein stetig wachsendes Kanalisationsnetz. Einzig der Hafen – das Herz der Stadt – hat mit dem Tempo der Entwicklung nicht mitgehalten. Vor allem an Schiffsliegeplätzen mangelt es, denn immer mehr große Dampfschiffe laufen Hamburg an. Waren es in den zwanziger Jahren des 19. Jahrhunderts nur zwei Dampfschiffe im Jahr, die den Hamburger Hafen ansteuerten, so machten hier im Jahr 1831 bereits 77 Dampfer fest. 1837 stieg die Zahl auf 300, 1848 fuhren bereits elf Prozent und 1850 sogar schon 30 Prozent aller Schiffe unter Dampf. Die Reedereien machen politischen Druck, und auch die Hapag, die *Hamburg-Amerikanische Packetfahrt-Actien-Gesellschaft*, ist nicht allein auf Grund des Tiefgangs ihrer Dampfschiffe am raschen Ausbau des Hafens und an einer Vertiefung des Fahrwassers interessiert: Das Auswanderergeschäft verlangt eine zügige Abfertigung, und im Konkurrenzkampf mit dem Norddeutschen Lloyd in Bremerhaven zieht man sogar die Versorgung und Unterbringung der Auswanderer in firmeneigenen Unterkünften in Erwägung.

Hamburg 1862 – zwei Jahre nach In-Kraft-Treten der neuen Verfassung. Der Senat – bisher Rat genannt – und die Bürgerschaft teilen sich nach wie vor die oberste Gewalt in der Stadt, aber die städtische Verwaltung wird nun durch parlamentarische Elemente gestärkt. An der Spitze der einzelnen Verwaltungszweige stehen Deputationen, die sich aus Mitgliedern der Bürgerschaft zusammensetzen, oder Kommissionen, die der Senat einsetzt und deren personelle Zusammensetzung er bestimmt. Der Senat – von 28 auf 18 Senatoren reduziert, von denen sieben Kaufleute sein müssen – hat sein Selbstergänzungsrecht verloren und wird fortan unter Beteiligung der Bürgerschaft gewählt. Auch wenn die neue Bürgerschaft noch kein demokratisches Parlament im heutigen Sinne darstellt, so ist doch zumindest das Prinzip der Erbgesessenheit zugunsten des Repräsentationsprinzips aufgegeben. Die Bürgerschaft setzt sich aus 192 gewählten Abgeordneten zusammen. 84 von ihnen werden in allgemeinen Wahlen – also von männlichen Bürgern, die über 25 Jahre alt sind und Steuern zahlen – gewählt, 60 weitere werden von den Notabeln ernannt. Dazu zählen Bürger, die öffentliche Ämter bekleiden, Mitglieder des Senats, der Bürgerschaft, Richter sowie Mitglieder der Verwaltungsorgane. Die restlichen 48 Bürgerschaftsabgeordneten werden durch die Grundeigentümer der Stadt gewählt. Wer Grundeigentümer und zudem Mitglied einer Deputation oder eines anderen Verwaltungsorgans ist, kann mithin drei Stimmen abgeben.

Die neue Verfassung ändert nichts an der Tradition, dass Senatoren im Wesentlichen aus den reichsten und angesehensten Familien der Stadt stammen. So stellen etwa die Familien Amsinck, Sieveking, Merck und Gossler – um nur einige Namen zu nennen – bis ins 20. Jahrhundert kontinuierlich eine Vielzahl von Senatoren, Bürgermeistern oder Bürgerschaftsabgeordneten. Da ein Großteil dieser Familien – die zudem noch auf die unterschiedlichste Weise miteinander verwandt oder verschwägert sind – Handels- und Reedereigeschäfte besitzt, beispielsweise die Familien Sloman, Laeisz und Woermann, sind deren Mitglieder vor allem an einer Entwicklung des Handels und am Ausbau des Hafens interessiert. Dabei multipliziert sich der Machteinfluss einiger Familien innerhalb der Stadt, wenn mehrere Familienmitglieder gleichzeitig in allen wesentlichen politischen Gremien der Stadt vertreten sind. Dies trifft Mitte des 19. Jahrhunderts beispielsweise auf die Familie Godeffroy zu.

Der «Südseekönig» *Cesar VI. Godeffroy* (1813–1885), der 1842 die Firma seines Vaters übernommen hat, gilt mit zeitweise über 30 Schiffen als größter Privat- und Handelsreeder der Stadt. Neben dem Südseehandel befördert die Firma *Joh. Cesar Godeffroy & Sohn* auch Auswanderer nach Afrika und Australien, sie betreibt eine Kupferhütte an der Elbe und zeitweise ein Stahlwerk bei Osnabrück. Zusammen mit seinem Bruder, dem Bankherrn, Commerzdeputierten und Senator *Gustav Godeffroy* (1817–1893), sowie seinem Geschäftsfreund Ferdinand Beit als Teilhaber gehört Cesar Godeffroy auch die auf Eisenschiffbau spezialisierte *Reiherstieg Schiffswerfte und Kesselschmiede*, die 1863 auf ein größeres Werftgelände umzieht und mit mehr als 800 Arbeitern Hamburgs größtes Industrieunternehmen überhaupt darstellt. Cesar Godeffroy ist seit 1850 Altadjungierter der Commerzdeputation und damit Berater des Senats – 1860 wird er in die Bürgerschaft gewählt. Der dritte Bruder, *Adolph Godeffroy* (1814–1893), ist bereits seit 1847 als geschäftsführender Direktor bei der Hapag angestellt, die er 1854 erfolgreich in eine Dampferlinie hat umwandeln können. Politisch betätigt er sich im neuen Deutschen Nationalverein in Hamburg – einem politischen Zusammenschluss von Liberalen und Demokraten, dessen Vorsitz er innehat –, und 1860 wird er in den Bürgerausschuss zur Entlastung des Plenums der Bürgerschaft gewählt. Adolph Godeffroy ist außerdem Präses der Commerzdeputation und sitzt im Verwaltungsrat der Seefahrtsschule auf Steinwerder.

Hamburg 1862 – nach jahrelangen Verhandlungen und zähen Debatten verwirft man den Gedanken an Docks und Schleusen und beschließt, den Ausbau des Hafens in Form eines Tidehafens durchzuführen. Für den zügigen Warenumschlag an den Vorsetzen der Hafenbecken sollen Dampfkräne eingesetzt werden. Wasserbaudirektor Johannes Dalmann lässt sich Probemodelle unterschiedlicher Kranhersteller auf die Baustelle des zukünftigen Sandtorhafens liefern. Zwischen den Kisten entdeckt man einen Toten ...

*W*arum hatte man gerade ihn mit dieser Aufgabe betraut? Johnsson und Wesley konnten die gleiche Erfahrung vorweisen, und beide wären sofort mit der Reise einverstanden gewesen; sie hatten es ihm selbst bestätigt. Doch nein, man bestand darauf, dass er fuhr. Nicht, dass er Wasser hasste, aber das Element meinte es nicht gut mit ihm. Es war idiotisch – die ganze Fahrt über würde er in der Kabine verbringen und sich quälen oder mit grünem Gesicht an der Reling hängen. Gott sei Dank stürmte es wenigstens nicht. Nur ein lauer Wind strich durch die Gassen an den Docks – aber das konnte sich innerhalb der nächsten Stunden noch ändern, und außerdem verschob es das Problem nur. Weniger Wind bedeutete eine geringere Geschwindigkeit und damit eine längere Zeit auf dem Wasser. Erst nach dem dritten Whisky hatte er sich besser gefühlt und sich vorgenommen, dem morgigen Tag gelassen entgegenzublicken. Natürlich war ihm bekannt, dass Alkohol sein Leiden nur noch verschlimmern würde, aber diese Sorgen waren momentan nebensächlich.

Er ärgerte sich, dass er das Zimmer nicht genommen hatte, aber die Absteige war zu schäbig gewesen und der Preis indiskutabel. Mit einem zweiten Blick vergewisserte er sich, ob es tatsächlich die Männer aus dem Blorey Pub waren, die ihm folgten, dann suchte er Schutz im Schatten eines Schuppens und beobachtete die Uferstraße. Kein Zweifel – die beiden hatten zwei Tische neben ihm ihr Ale getrunken. War es Zufall, dass sie ebenfalls den Weg hinunter zu den Docks gewählt hatten? Um diese Uhrzeit war es menschenleer am Hafen, und das Schiff sollte frühestens in vier

Stunden anlegen. Für Straßenräuber waren die beiden zu vornehm gekleidet. Trotzdem atmete er erleichtert auf, als sie, ohne sich umzusehen, an seinem Versteck vorbeigingen. Er wartete einen Moment lang und folgte ihnen dann im sicheren Abstand auf der Landseite der Schuppen. Sie gingen zielstrebig in Richtung Luncan Dock. Kurze Zeit später überholten ihn zwei Fuhrwerke – anscheinend mit gleichem Ziel. Das Knallen einer Peitsche verriet, dass man es eilig hatte. Sobald er das schnell näher kommende Rattern der Wagenräder auf dem Straßenpflaster vernommen hatte, war er erneut zwischen den Schuppen in Deckung gegangen. In ihrem Schatten lief er weiter, bis die Masten des Seglers in Sichtweite kamen. Der Name, der in goldenen Buchstaben den Bug zierte, ließ keinen Zweifel aufkommen: sein Schiff hatte wider Erwarten bereits festgemacht. Eine düstere Ahnung stieg in ihm auf, und er blieb in seinem Versteck. Hier sollte offenbar Ware gelöscht werden, die das Licht scheute. Aber was er dann beobachtete, überstieg noch seine schlimmsten Erwartungen.

Was man da von Bord brachte und mit Hilfe von Stöcken in die wartenden Paket- und Kastenwagen trieb, waren Menschen. Er hatte an Schmuggelware gedacht, Whisky- und Rumfässer vielleicht – aber das hier waren Kinder. Einige der armseligen, teils in Decken gehüllten Kreaturen weinten hilflos, andere versuchten vergebens, sich zu wehren, als man sie in die Wagen schob, die sich kurze Zeit später in Bewegung setzten. Einige Männer, darunter die beiden, von denen er fälschlicherweise angenommen hatte, sie wären ihm gefolgt, standen sichtlich ungerührt an der Gangway und unterhielten sich. Mehrere Bündel Banknoten wechselten den Besitzer. Es stand außer Frage, was hier für ein widerliches, verachtenswertes Geschäft abgewickelt wurde.

*E*in Walfisch? Du spinnst wohl!» Sören Bischop tippte sich demonstrativ mit dem Zeigefinger an die
Schläfe. «In der Elbe gibt es keine Walfische!»

«Wenn ich's doch sage. Der alte Bruhns hat's heute
Morgen an den Kajen erzählt. Mindestens zehn Meter
lang! Und geschnaubt hat er, dass das Wasser nur so
spritzte!» Martin Hellwege fuchtelte aufgeregt mit den
Armen durch die Luft.

«So ein Humbug! Wo soll das denn gewesen sein?»

«Direkt vor Baakenwärder. Kurz vor Sonnenaufgang.
Er wollte gerade die Reusen einholen. Plötzlich war der
Wal da und hat eine Welle gemacht, dass Bruhns fast
über Bord gegangen wäre. Dann ist der Wal Richtung
Schumacher Wärder abgezogen.»

«Alles Döntjes», sagte Sören Bischop und machte
eine abwinkende Handbewegung. «Bruhns hat sicher
wieder mal zu tief in die Flasche geguckt. Kennt man ja.
Was der alles vor Sonnenaufgang erlebt haben will.
Glaubt doch eh keiner mehr.» Aber so sehr er sich auch
Mühe gab, seinem Desinteresse einen überzeugenden
Ausdruck zu verleihen, es wollte ihm nicht so recht gelingen, denn alle Kinder hörten sich die Schnurren, die
der alte Bruhns auf Lager hatte, gerne an.

In Wirklichkeit war Sören nur enttäuscht, dass er gerade heute nicht mit dabei gewesen war, als sich die
Kinder aus dem Wandrahmviertel, wie jeden Morgen

vor der Schule, am Anleger Buten Kajen getroffen hatten. Aber Dr. Paetzold hatte ihn eine ganze Stunde vor Unterrichtsbeginn in seine Schreibstube bestellt. Und alles wegen dem doofen Adi. Der kleine Woermann hatte ihn bestimmt verpetzt, weil letzten Sonntag eine Scheibe im Kontor seines Alten zu Bruch gegangen war. Anders als befürchtet war es jedoch glimpflich ausgegangen; außer einer kräftigen Standpauke war nichts geschehen. Dabei hatte Sören Unangenehmeres erwartet. Sicherheitshalber hatte er sich nach dem Aufstehen sogar zwei Lagen Ölpapier und einen Teerstreifen in die Hose gelegt – das war wohl etwas zu viel des Guten gewesen. Als Dr. Paetzold ihn schließlich hinausschickte, hatte er ihm mit einem Augenzwinkern noch zugerufen, er möge doch vor Unterrichtsbeginn bitte den Lokus aufsuchen und seine Beinkleider reinigen. Die Hose war hinten völlig ölgetränkt, wie Sören erschrocken feststellte. Dr. Paetzold war schon in Ordnung – und die Sache mit Adi würde er ein andermal regeln. Adolph Woermann war zwar ein Jahr älter als er, aber er reichte Sören nur bis zum Kinn – das würde ausreichen.

«Komm, lass uns Dampfer zählen!», forderte Sören seinen Freund auf.

«Och nö. Das macht keinen Spaß. Inzwischen gibt's so viele, da können wir auch gleich Segel zählen.»

«Schau mal der da. Ein Eisendampfer! Bestimmt einer mit Schraube.» Sören Bischop deutete auf eine rauchgekrönte Silhouette, die sich ungefähr auf Höhe des Steinwärder Fährhauses befand und sich ihnen langsam näherte.

Fast täglich trafen sich Sören und Martin nach der Schule auf dem kleinen Platz hinter der Abendroth'-schen Dampfmühle. Hier hatten sie schon seit über einem Jahr ihr geheimes Quartier. Allerdings wurde das Quartier von Tag zu Tag weniger geheim. Seit einigen Wochen herrschte sogar ein außerordentlicher Betrieb. Entlang der oberen Uferkante des Sandthor-Beckens war man damit beschäftigt, eine Vorsetze zu bauen. Holzpfähle wurden gerammt, Pflöcke geschlagen, und im Becken selbst, nur wenige Meter von ihrem Standort entfernt, hatte seit gestern eine schwimmende Dampframme Stellung bezogen. Vorbei war es mit der Ruhe. Selbst das sonore Brummen und zeitweilige Zischen der Dampfmühle, das den Ort bis vor kurzem als einzige Geräuschquelle beherrscht hatte, ging im Lärm der jetzigen Bauarbeiten unter. Von den Arbeiten auf den jenseitig des Sandthor-Beckens gelegenen Schiffswerften vernahm man nichts mehr.

Noch vor wenigen Jahren hatte der Ort im Schatten des Hölzern Wambs gelegen, aber nachdem die ehemalige Bastion abgegraben worden war, hatte man von hier aus einen freien Blick auf den Elbstrom. Vor ihnen lagen die Dalbenreihen des Georgius- und Blockhaus-Hafens, und zwischen Ostergatt und Freigatt reihten sich die Masten der großen Segler bis zum neuen Landungsplatz hinter dem Jonas-Hafen. In der Ferne konnte man die Vorsetzen und Anlandungsstellen von St. Pauli erkennen, und auf der gegenüberliegenden Seite des Elbstroms fiel ihr Blick auf den Reiherstieg und die Betriebe auf Steinwärder.

«Lass uns lieber noch ein bisschen ditschen», schlug Martin Hellwege vor.

«Nee, ditschen ist blöd.»

«Gestern fandst du's noch gut.»

Sören stülpte die Hosentaschen nach außen und zog daran. «Blank!»

«Ich leih dir was.»

«Nee, lass man.» Sören schüttelte den Kopf. Die letzten Tage hatte er schon genug an seinen Freund verloren – eine richtige Pechsträhne war das. Dabei hatte er eigentlich jedes Geldstück für das ersehnte Takelmesser sparen wollen und gut die Hälfte dafür in seiner Büchse schon zusammen gehabt.

«Wasserdippen?»

Sören zögerte einen Moment. «In Ordnung», meinte er schließlich. «Wer zuerst 'nen Achter schafft, gewinnt!»

Beide machten sich sofort mit Eifer daran, möglichst gut geformte, flache Kiesel zu suchen. Zum Georgius-Hafen hin war die Böschung auf dem Grasbrook noch seicht abfallend. Erfahrungsgemäß gab es an dieser Stelle die besten Steine – natürlich im Wasser. Trotz aller Vorsicht hatte Sören nach kurzer Zeit nasse Schuhe.

«Mist!», fluchte er. Erst die Sache mit der Hose, und nun das noch. Seine Mutter würde begeistert sein. Während er darüber nachdachte, ob die Schuhe wohl bis zum Abend trocknen würden, fiel sein Blick auf die grüne Flasche, die unweit vom Ufer entfernt vor sich hin dümpelte. Grüne Flaschen waren selten – die meisten waren braun. Und nass war er eh schon. Also ging er noch einige Schritte weiter ins Wasser und machte einen langen Arm, bis er sie greifen konnte. Der Korken steckte, und in der Flasche …

«Mensch, schau mal!», rief Sören seinem Freund zu und hielt das Fundstück triumphierend in die Höhe. «'ne Flaschenpost!»

Martin war natürlich sofort zur Stelle. «Toll! Zeig mal her. Mach auf …»

Sören legte die Flasche auf den Boden und zog sich erst mal die nassen Schuhe und Strümpfe aus. Eine echte Flaschenpost. Das war natürlich spannend.

«Vielleicht 'ne Schatzkarte!», mutmaßte Martin und drehte die Flasche im Sonnenlicht, dass sich der grüne Schatten wie eine Maske über sein Gesicht legte.

«Nicht kaputt machen! Die ist wertvoll!» Sören riss seinem Freund die Flasche aus der Hand. Teer und Korken waren schnell entfernt. Mit Hilfe eines kleinen Stöckchens bugsierte Sören vorsichtig das Papier aus dem engen Flaschenhals. Nachdem er den Brief entrollt hatte, drehte er das Blatt ein paar Mal hin und her und machte dann ein enttäuschtes Gesicht.

«Und?», fragte Martin erwartungsvoll.

«Weiß nicht! Ich kann's nicht lesen.» Sören reichte Martin den Brief.

«Vielleicht so 'ne Art Geheimschrift?», munkelte Martin und studierte mit Kennermiene die Zeilen. «Einige Buchstaben sind verkehrt herum!»

«Hebräisch oder Griechisch ist das jedenfalls nicht!», stellte Sören fest.

«Und nach einer Schatzkarte sieht's auch nicht aus», fügte Martin enttäuscht hinzu.

Sören wendete das Papier und betrachtete die im Sonnenlicht durchscheinenden Zeichen. Dr. Paetzold hatte vor wenigen Wochen im Unterricht von einem klugen Italiener erzählt, der, weil er Linkshänder war, auf dünnem Pergament spiegelverkehrt von rechts nach links geschrieben hatte, um mit der Schreibhand nicht ständig die Tinte zu verwischen. Wenn man das Pergament umdrehte, war alles wieder normal zu lesen. Sören probierte es und schüttelte den Kopf: «So ergibt's auch keinen Sinn.»

«Und wie finden wir raus, was es bedeutet?», fragte Martin.

«Wir könnten's morgen Dr. Paetzold …»

«Bist du verrückt!», fiel ihm Martin ins Wort. «Es muss unser Geheimnis bleiben, bis wir wissen, was drinsteht! Vielleicht geht es doch um einen Schatz, oder um Piraten … oder Schiffbrüchige auf einer einsamen Insel mit einer Kiste voll goldener Dukaten und Edelsteinen …»

«Und da willst du dann hinsegeln?» Sören legte die Stirn in Falten und schaute seinen Freund spöttisch an. «Martin Hellwege, der Seefahrer! Dass ich nicht lache! Mit deinen Kenntnissen kommst du nicht mal bis Helgoland!»

«Spielverderber», sagte Martin und zog einen Schmollmund.

«Jedenfalls müssen wir erst mal wissen, was das für eine Schrift ist. Ich werde einige Wörter abschreiben und sie Dr. Paetzold zeigen. Von der Flaschenpost sage ich nichts – versprochen!»

«Ganz schön spannend jedenfalls», erwiderte Martin. Dann fiel sein Blick auf den Kirchturm von St. Michaelis. «Und ich muss jetzt los», seufzte er. «Schon die zweite Stunde nach Mittag.»

«Mach's gut – und das mit Helgoland war nicht so gemeint!», rief ihm Sören hinterher. Dann faltete er den Brief zweimal und steckte ihn in die Hosentasche. Schuhe und Strümpfe waren natürlich noch nicht trocken. Sören griff sich die Schuhe bei den Schnürsenkeln, packte mit der anderen Hand die Strümpfe und die Flasche und wollte gerade zum Kehrwieder schwenken, um den Heimweg anzutreten, als er vom Wasser her eine vertraute Stimme vernahm.

«Hallo Sören! Willst du mit rüber?!» Jonas Dinklage

winkte ihm wenige Meter vom Ufer entfernt von seinem Ruderboot aus zu.

«Nee, das geht heute nicht!», rief Sören zurück. «Leider!»

Jonas Dinklage zuckte mit den Achseln und setzte seine Fahrt mit kurzen Ruderschlägen in Richtung Kleiner Grasbrook fort. Sehnsüchtig blickte ihm Sören hinterher. Nur zu gerne wäre er mit rüber zu den Holzhäfen gerudert. Jonas arbeitete auf einer der dort ansässigen Schiffswerften und hatte ihn schon häufiger mitgenommen. Sören mochte die Atmosphäre, liebte den Geruch von frisch gehobelten Schiffsplanken – und seit kurzem durfte er sogar hier und dort mit anpacken, was wohl daran lag, dass man ihm sein Alter nicht ansah. Für einen Vierzehnjährigen hatte er eine große und kräftige Statur.

Aber seine Eltern mochten es nicht, wenn er sich auf dem Kleinen Grasbrook herumtrieb. Auch der Besuch auf den diesseitigen Werften war ihnen eigentlich nicht recht. Da er sich jedoch magisch von Schiffen angezogen fühlte, duldete seine Mutter die kleinen Ausflüge stillschweigend, solange es keine Klagen aus der Schule gab, wie sie es ausdrückte. Lieber war es ihr aber, wenn er seine Zeit mit Martin Hellwege verbrachte. Martin war genauso alt wie Sören, und ihre Eltern waren schon seit langem miteinander befreundet. Hellweges wohnten ein paar Straßen weiter, in einem vornehmen Haus am Wandrahm – die Bischops seit einigen Jahren am Holländischen Brook. Vorher hatten sie bei Onkel Conrad in der Gertrudenstraße gewohnt. So gut sich Sören auch mit Martin verstand – dummerweise interessierte sich sein Freund nicht für Schiffe.

Natürlich gab es Ärger wegen der Hose und der nassen Schuhe. «Warst du wieder mit Jonas unterwegs?», fragte ihn seine Mutter vorwurfsvoll, nachdem sie ihm einen längeren Vortrag über die Schwierigkeiten beim Entfernen von Ölflecken gehalten hatte.

«Nein, Mutter. Ich habe mit Martin am Kehrwieder gespielt», entschuldigte sich Sören kleinlaut und kratzte sich verlegen am Arm.

«Hör zu! Ich möchte nicht mehr, dass du dich da am Sandthor-Becken herumtreibst!» Die Strenge in der Stimme seiner Mutter überraschte Sören. Für gewöhnlich hatte Clara Bischop ein sanftes Gemüt, sie war eine verständnisvolle Mutter und neigte nicht zu Zornesausbrüchen. Sollte Dr. Paetzold vielleicht mit ihr wegen des Vorfalls bei Woermanns gesprochen haben?

«Aber wir haben …»

«Schluss! Keine Widerworte! Wasch dir die Hände! Wir essen in der Küche!», schnitt Clara ihrem Sohn in scharfem Ton das Wort ab.

«Kommt Vater nicht zum Essen nach Hause?», fragte Sören verstört.

«Wenn du wirklich mit Martin am Sandthor-Becken warst, wirst du ja wohl wissen, was dort los ist, und dass Vater mit Sicherheit deswegen später kommt. Die ganze Stadt redet ja schon von dem Toten. Also spar dir die Kommentare! Ich will gar nicht wissen, wo du dich wieder rumgetrieben hast. Und wasch dir jetzt endlich die Hände! – Mein Gott, wie sieht die Hose aus!»

Nachdenklich tauchte Sören seine Hände in die Waschschüssel. Ein Toter? Nun gut – aber das war ja nun nichts Außergewöhnliches – schließlich war sein Vater bei der Polizei. Da kam es schon häufiger vor, dass man es mit Toten zu tun bekam. Nicht täglich – aber immerhin. Auf dem Grasbrook hatten sie außer den Bauarbeiten aber nichts Besonderes feststellen können. Weswegen machte seine Mutter ein solches Getöse? So kannte er sie gar nicht – Streit war wirklich selten in der Familie. Eigentlich waren Clara und Hendrik Bischop Eltern, wie man sie sich nur wünschen konnte – und um die Sören von allen seinen Freunden beneidet wurde; nicht nur wegen der Freiheiten, die man ihm gewährte. Auf die Idee, dass sich seine Mutter wegen der Vorkommnisse auf dem Grasbrook Sorgen um ihren Sohn gemacht hatte, kam er natürlich nicht. Geschwind verstaute Sören die Nachricht aus der Flaschenpost in der Schublade seines Nachttisches, zog sich schnell eine neue Hose an und trottete in die Küche.

~ *Die Baustelle* ~

Natürlich hatte sich die Nachricht wie ein Lauffeuer verbreitet – als Commissarius Hendrik Bischop in Begleitung von Inspektor Johannes Schütz von der Polizeistation an den Raboisen in Richtung Hafen aufbrach, sprach man in den Straßen des Katharinenkirchspiels bereits von nichts anderem. Erschlagen, erstochen, ertränkt – einige meinten, der Tote wäre ein Hafenarbeiter oder Schiffbauer, andere glaubten, es müsse einer der Auswanderer sein, die sich in den letzten Jahren zu Hunderten, ja Tausenden in den hafennahen Teilen der Stadt aufhielten und auf ihre Einschiffung, die Passage nach Übersee warteten. Wieder andere waren der Ansicht, es handele sich um die Leiche eines Werft- oder Fabrikbesitzers vom Grasbrook, durch die bevorstehende Enteignung der dortigen Gewerbeflächen in den Ruin getrieben, der seinem Leben mit einem Sprung ins Hafenbecken ein Ende gesetzt hatte.

Mutmaßungen über Mutmaßungen – doch wusste Hendrik Bischop nur zu genau, dass das Gerede widerspiegelte, was die Menschen zur Zeit bewegte. Tatsächlich war der Grasbrook seit Jahren in aller Munde, und seitdem die Hafenerweiterung, der Bau von neuen Hafenbecken beschlossene Sache war, mehr denn je. Die endlosen Debatten, in welcher Form der Hafenausbau denn nun zu bewerkstelligen sei, hatten mit dem

Entschluss, am Prinzip des Tidehafens festzuhalten und die geplanten Hafenbassins nicht mit Schleusen abzuschotten, zwar ein vorläufiges Ende gefunden, aber nun stritt man über die Finanzierung der Quaianlagen. Und die Auswanderer? Der Commissarius seufzte. Das Auswandererproblem war ein Kapitel für sich. Seitdem die Reeder damit begonnen hatten, die Zwischendecks ihrer Schiffe für den Personentransport nach Übersee zu nutzen, war Hamburg zu einem Auswandererhafen, die Handelsstadt zu einer Auswandererstadt geworden. Die ganze Hafengegend wimmelte von Auswanderern, und die Zustände waren so gravierend, dass vor sieben Jahren sogar eine eigene Deputation eingerichtet werden musste. Einige Schiffe verkehrten zwar inzwischen nach regelmäßigem Fahrplan, doch hatte sich in all den Jahren nur wenig am provisorischen Charakter des Auswandererwesens geändert. Auf den Zwischendecks der Schiffe herrschten teilweise menschenunwürdige Zustände.

Johannes Schütz lenkte die Droschke über die Wandrahmsbrücke und bog in den Alten Wandrahm ein. Vorbei an den großen Bürgerhäusern setzten sie ihren Weg über St. Annen und Pickhuben bis zum Brook fort.

«Ich bin gespannt, was uns erwartet.» Hendrik zog sich das Halstuch über Mund und Nase. Staub und Sandkörner wehten ihnen entgegen, als das Areal nördlich des Sandthor-Beckens in Sichtweite kam. Seine Worte klangen nicht überzeugend. Seit über vierzig Jahren war er bei der Polizei – zu lange schon, als dass es wirklich Überraschendes für ihn hätte geben können. «So wie die Gerüchteküche brodelt, würde es mich nicht wundern, wenn sich die letzten Nachfahren Klaus

Störtebekers und Simon von Utrechts gegenseitig enthauptet hätten. Was meinst du, Johannes?»

Schütz warf dem Commissarius einen stummen Blick zu. So kannte er seinen Vorgesetzten. Seit einigen Jahren schon beobachtete er, wie der unzugängliche Ernst, mit dem Commissarius Bischop stets zur Sache gegangen war, mehr und mehr heiterer Gelassenheit wich. Es hatte zunehmend den Anschein, als würde sich Hendrik Bischop von nichts aus der Ruhe bringen lassen – und von einem Toten schon gar nicht.

Die Droschke hielt vor einer Ansammlung Neugieriger, die den Toten kreisförmig umringten. Nachdem man das Eintreffen der Polizei bemerkt hatte, traten die Anwesenden einige Schritte zurück und bildeten eine schmale Gasse, durch die Commissarius Bischop und sein Begleiter schritten wie durch ein Ehrenspalier.

«So, nun macht mal ein bisschen Platz hier!» Hendrik beugte sich zu dem Toten herab, der mit dem Gesicht nach unten im Sand lag. «Kennt den jemand?», fragte er, ohne aufzublicken.

«Charles Parker!», antwortete jemand aus der Menge. «Ein Engländer!»

«Also kein Auswanderer», murmelte Hendrik mehr zu sich selbst.

«Nein. Ingenieur der Firma Appleby Brothers aus London», erwiderte die gleiche Stimme.

«Und Sie?» Hendrik blickte auf. Vor ihm stand ein junger Mann mit einer großen Messlatte unter dem Arm. Er war ungefähr Mitte zwanzig und im Gegensatz zu den meisten anderen Umherstehenden nicht wie ein Arbeiter gekleidet. Die Ärmel des hellen Leinenhemdes trug er bis über die Ellenbogen hochgekrempelt, den Kragen offen, und die weite Hose hing, korrekt geschneidert, doch ohne Falte und staubig wie die Kleidungsstücke aller übrigen Anwesenden, an schmalen Trägern. «Wer sind Sie?»

«Meyer», antwortete der Mann mit ernster Miene. «Franz Andreas. Kondukteur der Schifffahrt- und Hafendeputation. Ich leite hier die Bauausführung.»

«Und Sie kannten den Toten?» Hendrik richtete sich langsam auf und wendete sich dem Mann zu. Die Umstehenden machten einen fast ehrfurchtsvollen Schritt zurück.

«Nein, nicht direkt. Aber die Papiere, die der Tote bei sich trug, weisen ihn als Charles Parker aus. Ich habe sie gleich an mich genommen.» Der Kondukteur reichte dem Commissarius eine braune Brieftasche mit einem Bündel Papiere. «Wir waren für morgen zu einer Vorführung verabredet – zusammen mit Wasserbaudirektor Dalmann, meinem Vorgesetzten. Charles Parker wurde uns von Appleby Brothers angekündigt. Das ist eine Firma, die Kräne produziert – Dampfkräne. Und morgen wollte uns Herr Parker einen Kran vorführen.»

«Hier an dieser Stelle?» Hendrik blickte sich um. Schließlich deutete er auf mehrere sperrige Holzkisten, die wenige Schritte abseits aufgestapelt waren.

«Wir haben ihn zwischen den Kisten gefunden. Erschlagen! Wahrscheinlich hiermit.» Einer der Arbeiter zog eine blutverschmierte Eisenstange hervor.

«Wann habt ihr ihn gefunden?», fragte der Commissarius in die Runde.

Ein anderer Arbeiter trat aus der Gruppe hervor. «Gegen neun Uhr. Wir haben uns schon heute früh gefragt, was die Kisten hier suchen; haben uns aber erst darum gekümmert, als sie uns im Weg waren. Wegen der Ankerpfähle, die wir hier rammen. Und als wir die Kisten wegschaffen wollten, kam der Kerl dazwischen zum Vorschein.»

«Gestern waren die Kisten noch nicht hier?», fragte Hendrik.

Alle schüttelten einhellig den Kopf.

«Gut.» Der Commissarius nickte zufrieden. «Wann habt ihr hier heute mit den Arbeiten angefangen?»

«Um sechs in der Früh! Ich war der Erste hier», rief ein junger Rotschopf nicht ohne Stolz.

«Und da waren die Kisten bereits hier?»

Er nickte.

«Wo finde ich Ihren Vorgesetzten?», fragte Hendrik, zu Meyer gewandt.

«Er muss auf dem Wege hierher sein. Ich habe Direktor Dalmann sofort benachrichtigen lassen.»

Der Commissarius wandte sich Inspektor Schütz zu. «Johannes, veranlassen Sie, dass die Kisten auf den Hof der Polizeistation gebracht werden. Verständigen Sie Medicus Roever. Er soll den Leichnam abholen lassen und untersuchen. Wir müssen die genaue Tatzeit wissen.» Hendrik bückte sich nochmals herab und drückte mit dem Finger mehrmals die Haut des Toten. Er war immer wieder aufs Neue darüber erstaunt, dass es ihm trotz der vielen Toten, die er in all den Jahren seines Polizeidienstes gesehen und untersucht hatte, immer noch kalt den Rücken herunterlief, wenn er einen leblosen Körper berührte. Es spielte dabei auch keine Rolle, ob ein Mensch eines natürlichen oder eines gewaltsamen Todes gestorben war, ob sich die Haut noch warm anfühlte oder ob der Leichnam bereits erkaltet war und die Leichenstarre eingesetzt hatte.

Anfangs hatte sich Hendrik überwinden müssen, und alle hatten ihm erklärt, man gewöhne sich schnell daran. Spätestens nach dem zehnten Toten wäre alles Routine. Es war weder Ekel noch Schauder, was ihn durchfuhr, vielmehr tiefe Betroffenheit. Keine Ehrfurcht vor dem Tod, sondern ein letzter Tropfen Respekt vor dem Leben. Der wievielte Tote hier vor ihm lag, wusste Hendrik nicht zu sagen, er wusste nur, dass es ein Mensch war, ein Leben, das vor der Zeit geendet hatte. «Lange scheint der noch nicht tot zu sein», stellte er fest, erhob sich wieder und meinte schließlich: «So, das war's hier für euch, Männer. Ihr könnt wieder an die Arbeit!»

Unter Gemurmel löste sich die Gruppe langsam auf. Nur Kondukteur Meyer blieb mit zwei älteren Arbeitern neben den großen Holzkisten stehen. Er deutete auf die Eisenstange, die neben dem Toten im Sand lag. Hendrik konnte nicht genau verstehen, was Meyer zu den Arbeitern sprach, aber jene schüttelten unentwegt den Kopf. Schließlich trotteten auch sie zu ihrem Arbeitsplatz zurück.

«Und dann», der Commissarius ging Johannes Schütz gegenüber, mit dem er nun schon mehr als fünfzehn Jahre zusammenarbeitete, wieder zum vertraulichen Du über, «lauf rüber zum Wasserschout und frag ihn, welche Schiffe gestern aus England kommend im Hafen festgemacht haben, mit welchem Schiff Charles Parker gereist ist, ob er allein war, wie die Kisten hierher geschafft wurden und so weiter und so weiter. Das ganze Programm. Wenn du fertig bist, geh zur Telegraphenstation und informiere die Firma in London, für die er gearbeitet hat.» Er klopfte Johannes freundschaftlich auf die Schulter und übergab ihm das Bündel Papiere, das der Konducteur ihm ausgehändigt hatte. «Ich werde derweilen mit Herrn Meyer auf Direktor Dalmann warten. Haben Sie eine Unterkunft auf der Baustelle?», fragte Hendrik den Konducteur, der sich inzwischen wieder zu den beiden Polizisten gesellt hatte.

«Einen kleinen Schuppen mit Karten- und Vermessungstischen, hinten, zum Sandthor gelegen.» Franz Andreas Meyer deutete in östliche Richtung auf eine kleine Baracke. Seite an Seite setzten sie sich in Bewegung.

«Um was für einen Kran handelt es sich?», fragte Hendrik, nachdem sie eine Zeit lang schweigend nebeneinander her gegangen waren.

«Um einen Dampfkran», antwortete Meyer zögernd.

«Etwas Besonderes?»

«Also wenn ich ehrlich bin», gestand der Konducteur, «Kräne sind nicht gerade mein Spezialgebiet.»

«Aber Sie sollten bei der Vorführung anwesend sein?»

«Nur auf Wunsch von Direktor Dalmann», erwiderte Meyer. «Ich bin hier für die Erdarbeiten der Vorsetze zuständig.»

«Der Kran dient nicht dem Bau?», fragte Hendrik überrascht.

«Nein, nein», bestätigte Meyer und erklärte: «Es handelt sich um ein Probemodell für den späteren Warenumschlag am Quai. Die Schiffe sollen mit Hilfe von Dampfkränen entladen werden.»

Hendrik nickte gedankenversunken. «Dampfschiffe – Dampfkräne. Das klingt einleuchtend», murmelte er.

«Am besten fragen Sie Direktor Dalmann.»

Inzwischen hatten sie die kleine Baracke erreicht. Wasserbaudirektor Johannes Dalmann erwartete die beiden bereits vor der Tür. «Meyer. Was geht hier vor sich?!»

Dalmann trug einen vornehmen Gehrock aus feinem Zwirn. Schnitt und Farbe der Kleidung waren weder dem Ort noch den sommerlichen Temperaturen angemessen. Allem Anschein nach war er von einer offiziellen Sitzung aus hierher geeilt. Hendrik schätzte Dalmann auf etwa vierzig. Er war von schlanker Statur, und seine markanten Gesichtszüge wurden von einer auffällig spitzen Nase beherrscht. Im Gegensatz zu seinem akkurat gestutzten Vollbart war sein Haupthaar stark gelichtet. Der Kondukteur schilderte seinem Vorgesetzten die Vorkommnisse knapp und präzise.

Johannes Dalmann schüttelte unentwegt den Kopf. «Ärgerlich. Sehr ärgerlich.» Seine Worte klangen eher zornig als betrübt. «Haben Sie schon nach London telegraphiert? Wird es Ersatz für Parker geben?», fragte er Meyer.

Hendrik ließ den Kondukteur nicht zu Wort kommen. «Das wird die Polizei übernehmen.»

Direktor Dalmann warf Hendrik einen besorgten Blick zu. «Wird es von Ihrer Seite aus irgendwelche Maßnahmen geben, die den reibungslosen Ablauf auf der Baustelle gefährden könnten?»

Hendrik hob die Augenbrauen. «Angesichts der Tatsache, dass jemand, mit dem Sie verabredet waren, offensichtlich ermordet wurde, erscheint mir Ihre Frage in diesem Moment unangemessen. – Ein Menschenleben wurde ausgelöscht!»

Dalmann zuckte kurz zusammen und machte einen Schritt zurück. «Entschuldigung. Ja, es tut mir Leid», stammelte er verlegen und fuhr sich mit der Hand über den Hinterkopf, wodurch ein hässlicher Schweißfleck unter seiner Achsel sichtbar wurde. «Nicht, dass Sie einen falschen Eindruck bekommen. Natürlich ist das alles sehr tragisch. Aber bitte verstehen Sie: das Bauvorhaben hier unterliegt einem sehr rigiden Zeitplan …»

«Den Sie mir beizeiten genau darlegen dürfen!» Die Strenge in Hendriks Stimme machte unmissverständlich deutlich, dass von nun an er allein bestimmen würde, was in diesem Zusammenhang wichtig und was unwichtig war. Er hatte es noch nie leiden können, wenn jemand, aus welchem Grund auch immer, geschäftliche oder materielle Anliegen über das Erfordernis stellte, ein Kapitalverbrechen aufzuklären. Einem Mord war in jeglicher Hinsicht Vorrang einzuräumen – und das hier war Mord. «Zuerst möchte ich alles über diesen Kran wissen!»

«Ach mein Gott, der Kran! Entsetzlich! Meyer, wo ist der Kran?!»

Hendrik ließ dem Kondukteur keine Gelegenheit, zu antworten. Geduld und Höflichkeit des Commissarius waren erschöpft. «Die Kisten mit dem Kran wurden soeben von mir konfisziert!» Hendrik schlug mit der flachen Hand auf die Tischplatte, und für einen kurzen Moment herrschte Totenstille im Raum.

Erst jetzt schien Johannes Dalmann zu begreifen, dass der Commissarius sich auch von einem Baudirektor in seiner Amtsgewalt nicht beschneiden zu lassen gewillt war. «Ich verstehe. Natürlich.» Er blickte Hendrik fragend an.

Nachdem sich Hendrik endlich die nötige Aufmerksamkeit gesichert hatte und zugleich die Rollen der Anwesenden im Raum eindeutig verteilt waren, machte er einen tiefen Atemzug und setzte die Befragung in gemäßigter Lautstärke fort. «Wie mir Herr Meyer mitteilte, hatten Charles Parker und der Kran nichts mit den momentanen Bauarbeiten zu tun. Ich sehe daher keinen Anlass, die Arbeiten am Hafenbecken einstellen zu lassen.»

Direktor Dalmann nickte erleichtert.

«Aber ich erwarte Ihre uneingeschränkte Zusammenarbeit bei der Aufklärung der Todesumstände», fuhr Hendrik fort. «Wären Sie also so freundlich, mich genau über den Kran aufzuklären?»

«Das Bauvorhaben hier kann ich als bekannt voraussetzen?» Dalmann machte Anstalten, sich zu setzen, und der Commissarius sowie Kondukteur Meyer taten es ihm gleich.

Hendrik nickte. «In groben Zügen», sagte er. Natürlich hatte er zum Hafenbau tausend Fragen, aber momentan konzentrierte sich seine Neugier auf Charles Parker und diesen ominösen Dampfkran.

Dalmann breitete eine Planrolle auf dem Tisch aus und befestigte sie an den Seiten mit mehreren Nadeln. «Das Hafenbecken des Sandthors wird nach Fertigstellung vorwiegend dem Dampferverkehr dienen. Die Schiffe werden nicht mehr, wie bislang üblich, an Dalben im Strom anlegen, sondern an Vorsetzen längsseits gehen. An der nördlichen Vorsetze arbeiten wir zur Zeit.» Dalmann warf Meyer einen auffordernden Blick zu. «Herr Meyer wird Ihnen bei Bedarf alle Einzelheiten und technischen Details erörtern. Der Dampferverkehr», fuhr Dalmann mit erhobener Stimme fort, «und damit die Zukunft jedes Hafens ist gekennzeichnet vom Faktor Zeit. Die Reeder sind bestrebt, die Liegezeiten ihrer Schiffe so gering wie möglich zu halten, die Händler sind bestrebt, die Waren nur so lange wie nötig zu lagern, und die Transportunternehmen zu Lande, vorrangig die Eisenbahngesellschaften, würden am liebsten direkt auf die Schiffe herauffahren, um ihre Waggons beladen zu können. Alles muss schnell gehen! Schnell, schnell!»

Hendrik nickte und lächelte sarkastisch. «Ja natürlich. Zeit ist Geld.»

«Sie sagen es. Für das Löschen der Fracht benötigen die Schauertrupps Kräne. Kurbelkräne arbeiten aber zu langsam – außerdem sind die Schwerlastkräne in ihrer Beweglichkeit nur eingeschränkt zu nutzen. Wir planen also, über das gesamte Quai zwei Gleisstränge zu legen.» Dalmanns Finger zeichnete das Vorhaben auf dem Plan nach. «Einen direkt an der Vorsetze, von dem aus die Schiffe mit drehbaren Kränen ent- und im Bedarfsfall beladen werden können; dahinter wird eine Reihe von Schuppen stehen, hinter denen wiederum die Schienen der Eisenbahn liegen.»

«Praktisch», entgegnete Hendrik schroff. «Diese Kräne werden also mit Dampf betrieben – und kommen aus England. Gibt es keine hier ansässigen Unternehmen, die solche Kräne bauen?»

«Doch doch, natürlich», erklärte Dalmann. «Wir haben beispielsweise auch ein Angebot der Firma Schmilinsky & Söhne vom Oberhafen.»

«Bei den Bauarbeiten setzen wir bereits eine schwimmende Dampframme der Firma ein. Sie arbeitet ausgezeichnet», fügte Kondukteur Meyer erläuternd hinzu.

«Aber Schmilinsky hat keine Probemodelle zur Vorführung», erklärte Direktor Dalmann weiter. «Rein technisch wäre man dort sehr wohl in der Lage, Dampfkräne gemäß unseren Anforderungen zu bauen. Aber es fehlt die nötige Erfahrung.»

«Die hat man in England?», fragte Hendrik.

«So ist es», bestätigte Dalmann. «Ich habe mich von der Leistungsfähigkeit englischer Dampfkräne auf meiner letzten Reise nach London überzeugen können. In den Docks im Londoner Hafen leisten sie vorzügliche Arbeit. Auch wenn wir das Prinzip des Dockhafens mit Schleusen in Hamburg ablehnen, warum sollen wir die technischen Errungenschaften auf anderer Ebene nicht von den Engländern übernehmen? Es gibt dort zwei Firmen, die sich auf den Bau von Hafenkränen mit Dampfbetrieb spezialisiert haben: Brown, Wilson & Co. und eben Appleby Brothers.»

«Und Sie haben sich für die letztere entschieden», stellte Hendrik fest.

«Nein, ganz und gar nicht. Wir lassen uns von allen Herstellern, die entsprechende Dampfkräne produzieren, Probemodelle liefern. Wir sind ja noch in der Planungsphase.»

«Gibt es denn noch weitere Hersteller?»

«Ja», sagte Dalmann. «Letzte Woche bekam ich ein Angebot der in Bremen ansässigen Firma Waltjen & Co.»

«Bekomme ich eine Liste von Ihnen?»

Dalmann nickte. «Selbstverständlich. Ich werde sie Ihnen noch heute zukommen lassen.» Dann richtete er sich auf und stand mit feldherrnmäßig aufgestützten Armen über dem Plantisch, sodass Hendrik die Schweißflecke unter den Armen des Wasserbaudirektors nun in Augenhöhe vor sich sah. «Haben Sie noch weitere Fragen, Herr Commissarius? Ich hätte nämlich jetzt eine sehr wichtige Verabredung in der Schifffahrt- und Hafendeputation und möchte die Herren Merck und Stammann nur ungerne warten lassen ...»

«Merck und Stammann», wiederholte Hendrik die

Namen, die Dalmann wie nebensächlich hatte einfließen lassen – offensichtlich in der Absicht, der Dringlichkeit seines Aufbruchs gebührenden Ausdruck zu verleihen. Hendrik blieb einen Moment lang schweigend sitzen. Dann erhob auch er sich. «Nein, nein, ich werde Sie nicht aufhalten. Grüßen Sie Syndicus Merck bitte recht herzlich von mir – wir sind ja alte Bekannte», fügte Hendrik ebenso beiläufig hinzu. «Worum geht es denn bei der Sitzung, wenn ich fragen darf?»

«Es ist ein Treffen mit der Direktion der Berlin-Hamburger Eisenbahn-Gesellschaft, mit Direktor Neuhaus und seinem Kollegen Wolff.» Dalmann griff nach seinem Hut und wendete sich der Tür zu. «Es geht letztendlich um die Beteiligung der Gesellschaft an der Umschlagsanlage auf dem Quai.»

«Ach so, ja.» Hendrik nickte. «Bitte grüßen Sie recht herzlich von Hendrik Bischop.»

«Commissarius Bischop. Ich werde es ausrichten. Für alles Weitere wenden Sie sich bitte an Herrn Meyer. Auf Wiedersehen.»

Nachdem Dalmann die Baracke verlassen hatte, begann der Kondukteur, das Kartenmaterial auf dem Tisch zu ordnen. Vorsichtig entfernte er die Nadeln, rollte den großen Plan zusammen und schob die Rolle in das breite Holzgestell zurück, in dem noch eine Reihe anderer Karten lagerte. Als die ursprüngliche Ordnung wieder hergestellt war, wendete sich Meyer Hendrik zu, der abwartend in einer Ecke des Raumes stand. «Sehen Sie ihm sein Verhalten nach», brach er das Schweigen. «Er ist vollkommen überarbeitet und hat die letzten Tage sicherlich kaum Schlaf gefunden. Und jetzt noch der Tote – das ist zu viel für ihn.»

«Hmm. Sicherlich.» Hendrik nickte und kratzte sich

nachdenklich am Hinterkopf. «Gibt es denn Schwierigkeiten?», fragte er schließlich.

«Das ganze Projekt ist eine einzige Schwierigkeit»,
bestätigte Meyer und fügte sofort hinzu: «Weniger von
der technischen Seite ...» Er zögerte. «Das haben wir
im Griff ...»

«Sondern?»

Der Kondukteur breitete die Arme zu einer Geste der
Hilflosigkeit aus. «Es ist das heillose Kompetenzwirr-
warr, das uns das Leben schwer macht. Seitdem die
Grasbrookkommission vergangenes Jahr aufgelöst wurde
und die Gesamthafenplanung auf die Schifffahrt- und
Hafendeputation übergegangen ist, glaubt jede andere
Deputation, die auch nur im entferntesten mit dem Hafen zu tun hat, sie könne bei grundlegenden Entscheidungen ein Mitspracherecht beanspruchen. Dalmann
kann Ihnen ein Lied davon singen: Baudeputation, Deputation für Handel und Schifffahrt, Deputation für das
Auswandererwesen, Commerzdeputation und neuerdings auch die Finanzdeputation. Jeder mischt sich ein.
Wenn ich diese Streitigkeiten vorausgeahnt hätte», sagte Meyer und blickte aus dem Fenster, «dann wäre ich
wahrscheinlich nicht nach Hamburg zurückgekommen.»

«Sie stammen aus Hamburg?», fragte Hendrik.

Meyer nickte. «Ja, aufgewachsen bin ich in Hamburg.
Vom Johanneum bin ich dann auf die Polytechnische
Schule nach Hannover gegangen, zu Baurat Hase. Nach
dem Examen habe ich in Hannover, Harburg und Bremerhaven gearbeitet. Vorrangig war ich im Eisenbahn-
bau tätig.»

«Und hier sind Sie nun für den Hafenbau zuständig?»

«Ich überwache die Bauausführung am Hafenbecken
des Sandthors, ja.» Meyer konnte einen Seufzer nicht

unterdrücken. «Wissen Sie», setzte er fort, «Direktor Dalmann hat so viele Jahre für dieses Projekt gekämpft. Ich kann schon verstehen, dass er jetzt mit den Nerven am Ende ist.»

«Was für Schwierigkeiten gibt es denn?», fragte Hendrik erneut in der Hoffnung, vielleicht einen konkreten Hinweis zu bekommen.

«Das Problem ist momentan, dass der weitere Hafenausbauplan auf dem Areal des Grasbrooks immer wieder in Frage gestellt wird. Das betrifft nicht die derzeitigen Arbeiten am Sandthor-Becken – hier geht bis auf Kleinigkeiten alles seinen Gang», sagte Meyer.

«Kleinigkeiten?», wiederholte Hendrik und zog die linke Augenbraue hoch, aber Meyer schien die Anspielung nicht zu verstehen. «Nun ja», erklärte er, «kurzfristige Änderungen betreffend die Kaimauerfundierung, die Größe der Cementblöcke auf dem mit Kies geebneten Hafenboden, Ausgleichsmaßnahmen für den neu berechneten Erddruck durch den Höhenunterschied zwischen Beckensohle und Quaioberkante, die Fundierung mit Hilfe von Pfahlrosten …»

«Ach so.» Hendrik winkte ab. Das hatte er eigentlich nicht gemeint.

«Die Frage ist vielmehr», setzte Meyer fort, als er merkte, dass der Commissarius seinen technischen Ausführungen nicht folgen konnte, «was passiert mit den umliegenden Flächen? Dalmanns Hafenplan wurde in groben Zügen vor zwei Jahren verabschiedet. Sein Gesamtkonzept bildet die Grundlage für alle weiteren baulichen Entwicklungsstufen.»

«Und dieses Gesamtkonzept wird jetzt in Frage gestellt? Von wem?», fragte Hendrik neugierig.

«Die beteiligten Gremien sind alle mit Senatoren,

Abgeordneten und Commerzdeputierten besetzt», erklärte Meyer. «Das Fatale ist jedoch, dass es zwar immer dieselben Personen sind, die irgendwelche Einwände geltend machen, aber stets aus anderen Gründen, nämlich jeweils allein aus dem Blickwinkel des Gremiums, das sie gerade vertreten. Im Moment geht es um die Beteiligung der Berlin-Hamburger Eisenbahn-Gesellschaft an den Umschlagsanlagen auf der Nordseite des Sandthor-Beckens.»

«Also um die Finanzierung?»

«Ja, aber glauben Sie mir, das allein ist es nicht. Ich habe lange genug für die Generaldirektionen mehrerer Eisenbahngesellschaften gearbeitet. Wenn auch nur als Ingenieurassistent, so hatte ich während dieser Zeit genügend Einblicke in die Mechanismen der Einflussnahme. Wenn die Anlagen erst in Betrieb sind, dann sind es allein wirtschaftliche Faktoren, die Entscheidungen herbeiführen – dann ist es keine Mitbestimmung mehr, dann ist es alleinige Verfügungsgewalt.»

«Jetzt kann ich ungefähr verstehen, warum Direktor Dalmann vorhin so abwesend wirkte. Sieht er denn sein Lebenswerk in Gefahr?»

«Nein, das wohl nicht», entgegnete Meyer. «Aber bislang musste er sich ausschließlich mit dem Präses der Grasbrookkommission, beziehungsweise der Deputation für Schifffahrt und Hafenbau, Sieveking, abstimmen. Jetzt sieht er sich im Kreuzfeuer aller beteiligten Deputationen. Ich glaube, er ist schlichtweg überfordert. Und hinzu kommt noch der Umstand, dass er sich neuerdings von seinem einstigen Gegenspieler, Heinrich Hübbe, wieder verfolgt fühlt.»

«Wasserbaudirektor Hübbe wurde doch bereits vor sechs Jahren suspendiert», warf Hendrik ein.

«Das Niedergericht hat dem Amtsenthebungsantrag des Senats im letzten Jahr aber nicht stattgegeben. Wie mir Dalmann versicherte, verfügt Hübbe in den einzelnen Deputationen immer noch über ausgezeichnete Kontakte. Im Stillen ist nicht nur er der Meinung, dass die Anlage von Hafendocks mit Schleusen dem derzeitigen Ausbau in Form eines Tidehafens vorzuziehen sei. Für den Sandthor-Hafen besteht diese Gefahr zwar nicht mehr, dafür sind die Bauarbeiten schon zu weit fortgeschritten, aber schließlich wird über die Anlage der weiteren Hafenbecken immer noch debattiert. Bezüglich der östlich vom Sandthordamm gelegenen Areale ist noch nichts entschieden. Das gilt vor allem für die zum Oberhafen hin gelegenen Betriebe und jene östlich der Gasanstalt. Die dort ansässigen Schiffbauer und Fabrikbesitzer schöpfen neuerdings wieder Hoffnung, die bevorstehende Enteignung abwenden zu können.»

Die Mittagshitze war fast unerträglich. Der böige Westwind, der mit jedem Windstoß unzählige Sandkörner aufwirbelte und mit sich trug, brachte keine Linderung. Hendrik blickte sich noch einmal um. Die Baustelle nördlich des Sandthor-Beckens glich einer von allem Unrat bereinigten Freifläche. Bis zum Höft ragte allein die Abendroth'sche Dampfmühle in die Höhe. Tief in Gedanken versunken schlenderte der Commissarius entlang des ehemaligen Stadtgrabens bis zur Dienerreihe. Die Informationen, die er von Meyer erhalten hatte, waren mehr als aufschlussreich. Keine Sekunde zweifelte Hendrik daran, dass der Tod von Charles Parker in irgendeinem Zusammenhang mit den baulichen Vorhaben auf dem Grasbrook stand. Der

Commissarius hatte das Jahr 1847 vor Augen. Damals, vor fünfzehn Jahren, war er mit einem Fall betraut gewesen, der sich innerhalb kürzester Zeit von einem simplen Leichenfund zu einem gesellschafts- und stadtpolitischen Alptraum entwickelt hatte. Sein weiteres Dasein als Commissarius hatte auf Grund der politischen Brisanz seiner Ermittlungsergebnisse auf der Kippe gestanden, und letztendlich hatte er den Fall auf Druck seiner Vorgesetzten zu den Akten legen müssen. Die einzige Genugtuung, die ihm blieb, war die Tatsache, dass sich im Laufe der Jahre alle damaligen Verdachtsmomente, die auf städtebauliche Spekulation im großen Stil hinwiesen, bewahrheitet hatten. Der Kuchen war aufgeteilt – zumindest was die Uhlenhorst und die nördlichen Stadterweiterungsgebiete, den Hammerbrook und seit kurzem auch Eimsbüttel betraf.

War der Grasbrook nun das nächste Kapitel? Spätestens als der Kondukteur den Namen Hübbe erwähnt hatte, waren die alten Narben wieder aufgerissen. Auch Wasserbaudirektor Hübbe schien damals einer von denen gewesen zu sein, die sich unter dem Deckmantel des Allgemeinwohls an undurchsichtigen Machenschaften beteiligt hatten. Natürlich hatte es Hendrik als Genugtuung empfunden, als Hübbe vor sechs Jahren, wenn auch aus anderen Gründen, vom Dienst suspendiert worden war. Vor diesem Hintergrund hatte er von Meyer sogar mehr erfahren, als ihm eigentlich recht war. Hendrik konnte nur hoffen, dass dieser Fall nicht ähnliche Dimensionen annehmen würde. Als der Commissarius St. Annen passierte, blickte er in Richtung Holländischen Brook und überlegte für einen Moment, ob er einen kurzen Abstecher nach Hause machen sollte. Aber dann beschleunigte er seinen Schritt. Nein, das Mittagessen musste ausfallen. Mit einem unguten Gefühl in der Bauchgegend durchquerte er das Kehrwiederviertel und machte sich auf den Weg zur Polizeiwache.

*H*endriks Arbeitsplatz glich einem Schlachtfeld. Nachdem Inspektor Voss im letzten Jahr zum stellvertretenden Vorsteher der Davidwache befördert worden war, hatten sich Nachlässigkeit und Unordnung im oberen Stockwerk der Polizeiwache an den Raboisen ausgebreitet. Die Entwicklung in St. Pauli, insbesondere rund um das Vergnügungsviertel am Spielbudenplatz, hatte eine verstärkte Präsenz der Polizei vor Ort notwendig werden lassen. Tatsächlich kam es auch Hendrik in den letzten Jahren so vor, als hätten sich Straftaten und Gewaltdelikte in den Vorstädten St. Georg und St. Pauli stärker ausgebreitet als im Kerngebiet der Stadt. Bis zuletzt hatte Hendrik natürlich gehofft, seine criminale Abteilung endlich als festen Bestandteil der Hamburger Polizei etablieren zu können – doch umsonst, wie er sich eingestehen musste. Die Stelle von Voss war trotz ihrer gemeinsamen Erfolge nicht wieder besetzt worden. Außer zwei Offizianten war ihm nur Johannes Schütz geblieben, und Schütz liebte die Verwaltungsarbeit genauso wenig wie er selbst.

Bevor Hendrik die Aktenstapel auf seinem Schreibtisch näher in Augenschein nahm, verfasste er einen offiziellen Antrag auf Akteneinsicht im Fall Hübbe an das Niedergericht. Natürlich hätte er sich auch persönlich an Senator Kirchenpauer wenden können, das hätte die Angelegenheit sicherlich beschleunigt. Aber seitdem

Kirchenpauer, der als Präses der Polizeibehörde die Anklage gegen Wasserbaudirektor Hübbe empfohlen hatte, als Amtmann zu Ritzebüttel amtierte, konnte man sich seiner Anwesenheit im Görtz'schen Palais, dem Amtssitz der Ersten Polizeiherren der Stadt, nicht mehr sicher sein – und es galt in dieser Angelegenheit, keine schlafenden Hunde zu wecken. Nicht jeder in der Polizeibehörde war Hendrik so wohl gesinnt wie Gustav Heinrich Kirchenpauer. Eine gute halbe Stunde quälte sich Hendrik also mit Feder und Papier herum, siegelte das Schreiben und versah das Couvert schließlich mit einem «Eilt» in großen Lettern. Nach getaner Arbeit suchte er mit hilflosem Blick das Zimmer ab. Irgendwo in diesem Chaos musste es einen Postkorb mit der Aufschrift «Ausgang» geben. Mit einem Seufzer machte er sich daran, die Aktenberge umzuschichten.

«Auf der Mirinda!» Die Tür zu Hendriks Amtszimmer war ohne anzuklopfen aufgerissen worden, und herein platzte Johannes Schütz, wie immer, wenn er etwas herausgefunden hatte, außer Atem und mit einer Ansammlung loser Papiere in der Hand wild gestikulierend.

Hendrik fuhr herum. «Ich hab dir schon hundert Mal gesagt, du sollst mich nicht so erschrecken! Was gibt's? Welche Mirinda?»

Schütz befreite den zweiten Stuhl im Raum von einem Turm überquellender Registerordner, ließ sich etwas unbeholfen darauf nieder und breitete seinen Fund vor sich aus. «Parker fuhr auf der Bark ‹Mirinda›», begann er und wartete mit detaillierteren Ausführungen, bis Hendrik ihm gegenüber am Tisch Platz genommen hatte. «Die Mirinda ist gestern kurz nach Mittag angekommen», fuhr er fort, als er sich der nötigen Aufmerksamkeit seines Vorgesetzten sicher war, was Hendrik gemeinhin dadurch zum Ausdruck brachte, dass er sich mit den Ellenbogen auf der Tischplatte aufstützte, die Hände verschränkte und sein Kinn zwischen Daumen und Fingern vergrub. «Sie hatte ihren Liegeplatz erst am Freigatt – nach dem Entladen ist sie zum Hull-Hafen verholt worden. Parker hat das Schiff verlassen, nachdem der Schauertrupp von Bord war.» Schütz deutete auf einen Packen Zettel vor sich: «Hier sind die Frachtbriefe; ich habe sie gleich an mich genommen: acht Kisten Maschinenteile von London nach Hamburg. Das muss unser Kran sein», folgerte er. «Gewicht: zwölf Schiffspfund. Frachtkosten: siebenundzwanzig Pfund Sterling, ein Schlafplatz in einer Vorschiffkabine inklusive.» Schütz blätterte weiter durch den Stapel, sichtlich bestrebt, kein Detail seiner Erkenntnisse unerwähnt zu lassen. Blatt für Blatt legte er vor sich ab und zählte weiter auf: «Zollbescheinigung, Ausfuhrgenehmigung, Versicherungspolice über …»

«Ja, ja! Gib schon her!», unterbrach ihn Hendrik etwas ungehalten und streckte fordernd die Hand über den Tisch. «Scheint ja alles in Ordnung zu sein. Konntest du in Erfahrung bringen, wie Parker die Kisten zum Sandthor-Becken gebracht hat?»

Schütz schüttelte verlegen den Kopf, was mehr darauf hindeutete, dass er vergessen hatte, danach zu fragen. «Die Telegraphenstation war leer», erklärte er ausweichend, «so konnte ich auf Antwort warten.» Er reichte Hendrik die Papiere über den Tisch. «Ist leider auf Englisch!», fügte er entschuldigend hinzu.

Hendrik nahm den Stapel entgegen und murmelte: «Was hattest du erwartet – Chinesisch?» Natürlich war auch Hendrik des Englischen nicht mächtig – aber Schütz gegenüber wollte er sich das nicht anmerken lassen, also warf er einen flüchtigen Blick auf das oberste Papier. Clara würde es ihm heute Abend übersetzen. Das ging auf jeden Fall schneller, als wenn er einen Schreiber von der Deputation damit beauftragte, was außerdem nur zur Folge hätte, dass man seine Arbeit, wie schon so häufig, überflüssig beäugte. Er hatte es sich aus diesem Grunde zur Gewohnheit werden lassen, so wenig Amtshilfe wie möglich anzufordern. Lieber arbeitete er so, dass möglichst wenige Leute wussten, womit er sich gerade befasste. Gerade wollte er Schütz in den verdienten Feierabend entlassen, da klopfte es an der Tür.

«Mit einem schönen Gruß von Herrn Direktor Dalmann.» Der jugendliche Bote reichte Hendrik einen großen Umschlag, und Hendrik kramte zwei Schillinge aus der Hosentasche, die er dem Jungen in die Hand drückte.

Schütz war aufgestanden und blickte neugierig über Hendriks Schulter, als dieser die Blätter aus dem Umschlag zog.

«Scheint die Liste der Kranlieferanten zu sein», sagte Hendrik. «Na, das ging ja schnell. Hoffen wir, dass die Kooperation mit Dalmann weiterhin so gut läuft.»

«Gibt es noch mehr Kräne?», fragte Schütz, und erst jetzt fiel Hendrik ein, dass er ihn noch gar nicht über den Stand der Dinge informiert hatte. In knappen Worten klärte er seinen Mitarbeiter über das Gespräch mit Meyer und Dalmann sowie über die Hintergründe der baulichen Vorgänge am Sandthor-Becken auf. Seine Befürchtung, dass Wasserbaudirektor Hübbe in die ganze Sache verwickelt sein könnte, ließ er wohlweislich unerwähnt. Schütz war nicht Voss. Nicht, dass er ihm nicht vertraute – Johannes stand bedingungslos hinter seinem Commissarius – aber falls sich seine Vermutung bezüglich Hübbe nicht bestätigte … Nein, das war es weniger. Zu diesem Zeitpunkt brauchte außer Hendrik selbst niemand davon zu wissen. Auch Clara gegenüber würde er nichts verlauten lassen.

«Der hat nur Angst, dass du ihm die Baustelle dichtmachst!», sagte Schütz.

Hendrik nickte: «Soll er ruhig denken, dass ich das kann!» Er reichte Schütz die Liste. «Kümmer dich drum. Wir brauchen eine genaue Aufstellung, was welcher Kran kostet, welche Leistung, Lieferzeiten und so weiter. Die Hamburger Lieferanten klapperst du ab, den Rest machst du telegraphisch.»

«Ob wir damit weiterkommen?», warf Schütz ein, «Wenn jemand einen Konkurrenten ausschalten will, würde der nicht eher die Ware manipulieren oder zerstören, als sich gleich einen Mord an die Backe zu laden?»

«Wer weiß. Zumindest müssen wir der Sache nachgehen. Dalmann will sicher nicht nur einen Kran kaufen, sondern bestimmt ein paar Dutzend. Was stand in der Versicherungspolice?» Hendrik tippte auf den Stapel vor sich. Er hatte keine Zahl vor Augen, war sich aber sicher, dass die Fracht hoch versichert war. «Rechne das mal zusammen! Und außerdem handelt es sich erst um ein Hafenbecken, das bestückt werden soll. Die Summe allein ist nach meiner Erfahrung hoch genug, um manchen Menschen ein Kapitalverbrechen lohnend erscheinen zu lassen. Und jetzt überlege mal, was an Kränen zusammenkommt, wenn erst der ganze Grasbrook mit Schiffsliegeplätzen durchzogen ist.»

«Ist das denn geplant?»

Verlegen blätterte Hendrik in den Papieren. Jetzt war es ihm doch rausgerutscht. «Weiß ich noch nicht genau», druckste er herum, «ich lese auch nur Zeitung und habe mich bislang nicht sonderlich dafür interessiert. Aber es scheint so ... Ach was. Wenn solche großen Vorhaben in der Presse diskutiert werden, kannst du sicher sein, dass für einige wenige bereits feststeht, was gemacht wird. Das war immer so, und das wird auch immer so bleiben. Und fest steht auch ...»

«... dass du es herausfinden wirst.»

Hendrik schaute Schütz betroffen an: «Auch wenn wir es letztendlich nicht ändern können, ja.» Für einen kurzen Moment schwieg er. «So, jetzt an die Arbeit!»

«Eins noch!»

«Ja?»

«Die Kisten stehen unten im Hof.»

«Und?»

«Nun, sollten wir den Kran nicht einfach mal zusammenbauen?»

«Wie kommst du darauf? Appleby Brothers schickt natürlich einen Ersatzmann für Parker, der das übernehmen wird.» Hendrik war sich ziemlich sicher, dass dem so war, und dass der Text vom Telegraphenamt, auch wenn er ihn nicht lesen konnte, ein solches Vorhaben ankündigte.

«Das dauert doch aber bestimmt», sagte Schütz und zuckte mit den Schultern. «Ich meinte nur, falls ein anderer Hersteller durch diese Verzögerung vielleicht einen Vorteil hat ...»

«Hmm.» Hendrik machte ein nachdenkliches Gesicht. «Das stimmt. Du hast Recht. Ich werde das veranlassen.»

Johannes Schütz strahlte. Ein größeres Lob, auch wenn es eigentlich unausgesprochen blieb, gab es für ihn nicht. Nach all den Jahren der gemeinsamen Arbeit war es immer noch so, dass der Commissarius mit anerkennenden Worten geizte, wenn Schütz einmal etwas vorschlug. Nicht, dass er Hendrik Bischops Qualitäten als Commissarius je angezweifelt hätte, aber im Laufe der Jahre war sein Vorgesetzter, wenn es um die Besprechung neuer Fälle ging, immer verschlossener geworden, und in letzter Zeit mochte man sogar den Eindruck gewinnen, Hendriks Scharfsinn gelange im alltäglichen Einerlei immer seltener zum Einsatz. Die Gelassenheit, die sich seit einigen Jahren in die Ermittlungsarbeit des Commissarius eingeschlichen hatte, musste jeder, der ihn nicht so gut kannte, für Desinteresse halten. Zudem wirkte er in letzter Zeit bisweilen geradezu schrullig. Vielleicht, so spekulierte Schütz, war es eine Folge des fortgeschrittenen Alters. Es war nicht zu übersehen, dass Hendrik auf die sechzig zusteuerte.

«Da kümmere ich mich schon drum. Ich kenne da einen Sprützenmeister der Feuerwehr, der sich gut mit Dampfmaschinen und solchen Sachen auskennt.»

«Dann mach mal, Johannes», antwortete Hendrik, und es klang etwas abwesend. «Ich werde derweilen noch mal runter zum Nieder-Hafen fahren. Vielleicht kann ich in Erfahrung bringen, wie Parker von da zum Sandthor gekommen ist. Danach möchte ich Medicus Roever noch einen kurzen Besuch abstatten. Mal sehen, ob es schon verwertbare Ergebnisse gibt. Wir sehen uns morgen in aller Frühe.»

Hendrik nahm einen der Kutschwagen der Polizeiwache und lenkte vom Marstall aus den Raboisen entlang bis zur Kreuzung Brandsende – so hieß der Straßenzug, an dem die Flammen des Großen Brandes von 1842 seinerzeit zur Ruhe gekommen waren. Er bog dann links in die Ferdinandstraße ein und steuerte über das Alsterthor hinweg durch die Hermannstraße geradewegs in Richtung Johannis Straße. Bevor er die Börse passierte, fiel sein Blick auf den Rathausmarkt, der, anders als sein Name vermuten ließ, nach wie vor ein Platz ohne Rathaus war. Vor acht Jahren hatte es zwar einen Wettbewerb zum Neubau gegeben – den wievielten, das wusste Hendrik nicht mehr zu sagen –, aber eine konkrete Entscheidung war auch aus ihm nicht hervorgegangen. Es schien so, als solle das Haus der «Gesellschaft», wo die Bürgerschaft, um ihre Tagungen abzuhalten, vor zwei Jahren provisorisch Quartier bezogen hatte, noch etliche Jahre die Heimstätte der gewonnenen bürgerlichen Mitbestimmung bleiben.

Der leicht geschwungene Straßenzug des Großen Burstah, in den Hendrik nun einbog, nachdem er Rathausmarkt und Börse hinter sich gelassen hatte, markierte nach wie vor einen Riss, der quer durch die Stadt ging. Auch zwanzig Jahre nach dem Großen Brand war die Grenze zwischen den neu erbauten und den vom Feuer verschont gebliebenen Stadtteilen noch immer gegenwärtig – Fachwerk und barocke Giebel waren hier in den alten Straßenzügen noch in der Überzahl.

Kaum hatte Hendrik sein Gefährt nach links in den Rödingsmarkt gelenkt, musste er den Vorwärtsdrang des Pferdes mäßigen. Die Wagen und Fuhrwerke der Händler stauten sich bis zur Herrlichkeit, und immer wieder kam Hendriks Wagen zum Stehen. Auch auf den Bordsteinen herrschte Geschäftigkeit. An der Ecke zur Steintwiete grüßten der alte Gossler und Carl Friedrich

Petersen, die zusammen mit Ross vor Schmidt's Hut-manufaktur standen. Edgar Daniel Ross war vor wenigen Tagen zum Präses der Commerzdeputation aufgestiegen. 1848 hatte er zusammen mit Merck und Heckscher für die Hansestadt in der Frankfurter Nationalversammlung gesessen. Hendrik nahm die Zügel in eine Hand und zog freundlich den Hut. Nur einen Straßenzug weiter sah Hendrik die Herren Baur und O'Swald, die allerdings zu tief ins Gespräch versunken waren, um seinen Gruß wahrzunehmen. Seitdem das ehemalige Waisenhaus an der Admiralitätsstraße dem Senat als provisorisches Rathaus diente, war das ganze Gebiet zwischen Schaarthor und Pulverthurmsbrücke bis hin zur Börse zum bevorzugten Areal der Herren Senatoren und damit auch zur Flaniermeile für alle diejenigen geworden, die sich – wenn auch ohne Platz im Senat – als hochrangige Hamburger Persönlichkeiten empfanden. War es Zufall, dass der Senat hier im alten Teil der Stadt sein Domizil gefunden hatte, während die Bürgerschaft im wieder aufgebauten, im neuen Hamburg residierte? Es passte jedenfalls nicht schlecht zu dem Antagonismus der beiden Regierungsinstanzen. Vielleicht, so spekulierte Hendrik, lag hier auch einer der Gründe, warum es bei der Planung für ein neues Rathaus immer wieder zu Unstimmigkeiten kam und ein Neubau, der beiden Positionen Rechnung trug, letztendlich nicht konkretisiert werden konnte. Zumindest der Senat schien sich mit seinem dauerhaften Provisorium abgefunden zu haben – vor sechs Jahren hatte man das ehemalige Waisenhaus eigens für seine Zwecke umgebaut und nördlich sogar eine Ratsstube angefügt.

Hendrik kannte viele der Senatoren und Bürgerschaftsmitglieder persönlich – nicht wirklich freundschaftlich, da er als Commissarius von Standes wegen nicht der gehobenen Hamburger Bürgerschicht zuzurechnen war, doch hatte ihn seine Ermittlungsarbeit nicht selten zu ihnen geführt. Weniger an die Haustür ihrer Familien als in die Kontore und an die Plätze, von wo aus sie ihre Geschicke – nicht immer und ausschließlich zum Wohle der Stadt – steuerten. Nur mit wenigen dieser Familien hatten Clara und er engeren Kontakt, obwohl sie vor wenigen Jahren ins Wandrahmviertel, den Ort der ältesten und größten Hamburger Stadthäuser, gezogen waren und nun quasi nachbarschaftliche Verhältnisse pflegten. Da waren vor allem die Familien Merck und Kirchenpauer, in deren Häusern beide häufiger verkehrten, was insofern merkwürdig anmutete, als Senator Gustav Heinrich Kirchenpauer zumindest eine Zeit lang Hendriks oberster Dienstherr war. Nicht zu vergessen der freundschaftliche Kontakt zur Familie der Godeffroys, der sich über den gemeinsamen Freund Christian Hellwege ergeben und über die Jahre vertieft hatte.

Im Februar waren Clara und Hendrik sogar bei den Feierlichkeiten zur silbernen Hochzeit von Cesar und Emmy Godeffroy eingeladen gewesen. Und auch dort feierte natürlich alles mit, was Rang und Namen hatte: Die Donners und Gosslers, mit denen die Godeffroys gleich mehrfach verschwägert waren, die Amsincks, die Familien Laeisz und Hudtwalker, Versmann, Baur und Haller. Drei Tage hatte das Fest gedauert und man hatte mit einem zweifachen Ortswechsel nicht nur geographisch deutlich gemacht, wie weit die Interessen der Familie in Hamburg gestreut lagen. Begonnen hatte alles bei Adolph Godeffroy an der Deichstraße, am nächsten Tag zog man zum Familiensitz im Alten Wandrahm und weiter zu Senator Gustav Godeffroy in die Büsch-straße. Nur Slomans und Abendroths hatte Hendrik an keinem der Abende erblicken können. Auch wenn ihm wenig daran lag, mit seinen gesellschaftlichen Verbin-dungen zu renommieren, so konnte Hendrik doch von sich behaupten, dass er zumindest einem Vertreter aller großen Hamburger Familien vorgestellt worden war. Ja, man kannte ihn, den Commissarius Bischop, achtete seine Arbeit und grüßte ihn höflich auf der Straße.

Hendrik steuerte den Wagen über den Steinhöft wei-ter bis zum Baumwall. Hier, wo bis vor fünf Jahren noch das Baumhaus gestanden hatte, in dem der Schiffsmel-dedienst und die Zollstation der Admiralität unterge-bracht gewesen waren, hielt er an und überlegte. Schütz war bestimmt zum neuen Liegeplatz der Mirinda am Hull-Hafen gefahren. Es war anzunehmen, dass er dort keine Auskünfte bezüglich des Abtransports bekam. Der Hull-Hafen lag weiter Richtung St. Pauli an den Vorsetzen. Hendrik blickte auf die Masten der Segler, die wie an einer Schnur aufgezogen an den Pollern und Dalben des Niederhafens lagen. Vor ihm breitete sich das wirtschaftliche Herz der Stadt aus. Masten, soweit das Auge reichte – und im Bauch eines jeden Schiffes schlummerte kostbare Fracht, die sich von hier aus über den ganzen Kontinent verteilen würde. Nur im Winter wurde das Treiben im Hafen für ein, zwei, höchstens drei Monate unterbrochen. Hendrik kannte das alles seit seiner Kindheit – wenn der Hafen seitdem auch beträchtlich gewachsen war –, aber immer noch war der Anblick für ihn stets aufs Neue erhebend.

Das plötzliche Rasseln einer großen Krankette, die ungebremst bis zum Anschlag herabrauschte, beende-te den Augenblick fast andächtiger Stille. Mit einem dumpfen Knall schlug der Kranhaken auf ein unsichtbares Hindernis unterhalb der Quaimauer auf. Hendriks Pferd schnaubte erschrocken und klapperte mit den Hufen auf dem Pflaster. Dem offensichtlichen Missgeschick folgte ein grober Fluch aus Richtung Quaimauer, und kurz darauf traten die Füße des Kranwärters erneut beherzt in die rostige Pedalerie. Hendrik hatte die Szenerie aufmerksam verfolgt; nun wandte er sich wieder seinen Überlegungen zu. Natürlich nahm jemand, der aus England kam, das erstbeste Transportunternehmen, das er vor Ort finden konnte. Der Blick des Commissarius suchte die Schilder vor der Häuserreihe am Baumwall ab. Transport- und Fuhrunternehmen gab es hier reichlich. Das sah nach Arbeit aus.

Über eine Stunde war er bereits von Tür zu Tür gezogen, hatte mit Trägern und Kutschern gesprochen, sich Auftragsbücher und Tageslisten vorlegen lassen, aber das Ergebnis war immer dasselbe: Von einem Transport mehrerer Kisten zum Sandthor-Becken wollte niemand der ansässigen Fuhrunternehmer etwas gewusst haben. Auch in den letzten zwei Kontoren, die sich bereits jenseits der Rosenbrücke befanden, erhielt der Commissarius eine abschlägige Antwort. Wenn er ehrlich war, hatte er auch nichts anderes erwartet – eigentlich wäre es mehr als ein Zufall gewesen, wenn er bereits hier einen Hinweis gefunden, eine Spur hätte aufnehmen können, die ihn zum Ort des Verbrechens, hinüber zum Sandthor-Becken geführt hätte. Aber er zwang sich wie immer in diesem ersten Stadium der Ermittlung zu systematischem Vorgehen. Zu leicht konnte man einen wichtigen Hinweis, einen winzigen Krümel übersehen. Hendrik versuchte, sich in die Person von Charles Parker hineinzuversetzen, was ihm nicht recht gelingen wollte. Eigentlich wusste er gar nichts über den Engländer: Konnte sich Parker verständlich machen? – Kannte er die örtlichen Gegebenheiten? – War er das erste Mal in der Stadt? – Und wurde er vielleicht sogar erwartet? Wenn ja, von wem? Hatte er den Transport des Krans bereits von London aus arrangiert? Es gab eine Fülle von Fragen, auf die Hendrik noch keine Antwort wusste, die aber entscheidend waren, wollte er die Ausgangsposition von Parker hier in Hamburg nachzeichnen.

Hendrik schlenderte auf der Wasserseite des Baumwalls zurück zu seinem Wagen. Immer wieder musste er an der Kaje anhalten, um Trupps von Schauerleuten passieren zu lassen. Er schlug einen Bogen um die großen Kurbelkräne, vor denen sich Planwagen und Fuhrwerke stauten, und erneut fiel sein Blick auf die Mastenreihen der großen Segler, die fest an den Dalben des Niederhafens vertäut lagen, umringt von Schuten, Ewern und Oberländer Kähnen, die längsseits gegangen waren, um Stückgut von den größeren Schiffen zu übernehmen. Das Höft des Kehrwieder, jener schmale Ausläufer des Grasbrook, der sich in den Strom schob, wo vor wenigen Jahren noch die letzten Reste der hafenseitigen Stadtbastion gestanden hatten, und der zugleich die Zufahrt zum Becken des zukünftigen Sandthor-Hafens markierte, lag nur einen Katzensprung entfernt hinter den Schiffsrümpfen. Hendrik seufzte und wandte sich ab. Es war hoffnungslos – genauso gut konnte Parker die Kisten auf dem Wasserwege transportiert haben, auf einem der zahllosen Kähne, die sich zwischen Nieder- und Binnenhafen tummelten.

Mit einem Griff in die Rocktasche kontrollierte er, ob er das Telegramm mitgenommen hatte, fand es auf Anhieb und faltete das Papier auseinander. Es waren nur wenige Zeilen – vielleicht würde er klarer sehen, wenn Clara die ihm unverständlichen Worte entschlüsselt hatte. Wenn er vor Sonnenuntergang zu Hause sein wollte, musste er sich allerdings sputen. Spätestens an der Hohen Brücke würde ihn das allabendliche Gedränge der Fuhrwerke, die ihre Waren am Neuen Kran aufgeladen hatten, aufhalten. Hendrik beschloss, den Besuch bei Conrad auf den nächsten Tag zu verschieben, bestieg den Wagen und machte sich auf den Heimweg.

~ *Hendrik und Clara* ~

*T*atsächlich war die Sonne gerade hinter den Dächern verschwunden, als der Wagen in den Holländischen Brook einbog. Das Haus der Bischops lag ungefähr auf halber Höhe der Straße, die auf ihrer gesamten Nordseite von einem Fleet begrenzt wurde. Auf den ersten Metern wirkte der Holländische Brook ungewöhnlich licht und breit, da jenseits des Fleets ebenfalls ein Straßenzug verlief. So standen sich die Häuser auf beiden Fleetseiten über eine Länge von ungefähr hundert Metern mit ihren Eingangsfassaden gegenüber. Die Fahrbahnen waren mit großen Steinen gepflastert und auf dieser Länge, was ebenfalls ungewöhnlich war, beidseitig mit Bordsteinen versehen. Eine Reihe junger Ulmen säumte die Ufereinfassung des Holländischen Brooks, dessen abschließende Mauerkante von einem eisernen Gitterzaun begrenzt wurde. Jenseits des Wassers, am Wandbereiter Brook, war die Uferkante abgetreppt und wurde von hölzernen Stegen flankiert. An Stelle einer Baumreihe standen dort zwei große Gaslaternen, deren Licht nachts bis vor die Eingangstreppen der Häuser am Holländischen Brook fiel. Für einen Moment hielt Hendrik inne und lauschte dem trägen Plätschern, mit dem das Fleetwasser in stetigem Rhythmus unaufhörlich gegen die Stege schwappte. Irgendwo zwitscherte ein Vogel seine Abendmelodie und verkündete das Ende eines warmen Sommertages.

Nach einigen Metern – ungefähr auf der Höhe, wo der Wandbereiter Brook an einem Stichkanal endete – verjüngte sich die Fahrspur auf doppelte Karrenbreite und die Bordsteinkanten verloren sich im unregelmäßigen Muster des Straßenpflasters. Hendrik gab die Zügel locker – von hier aus fand das Pferd seinen Weg alleine. Langsam bog der Wagen in eine schmale Einfahrt ein und stoppte vor der Remise, welche die ganze Breite des kleinen Hofes einnahm. Hendrik entzündete eine alte Öllampe, nahm dem Pferd die Scheuklappen ab und versorgte es. Gerne hätte er diese alltäglichen Arbeiten an einen Stallburschen abgetreten, aber seitdem sie – durch Conrads finanzielle Unterstützung quasi genötigt – das Haus gekauft hatten, war an die Anstellung eines Haus- oder Hofbediensteten nicht zu denken.

Bis sich Sören angekündigt hatte, war in Claras Elternhaus an der Gertrudenstraße genug Platz gewesen, und selbst während der ersten Jahre zu dritt war es gut gegangen. Aber nachdem sich Sören doch entschlossen hatte, auf zwei Füßen zu laufen, als aus dem Krabbelkind plötzlich ein richtiger Junge heranwuchs, war es enger und enger geworden, und schließlich hatte Conrad darauf bestanden, dass sich die junge Familie eine eigene Bleibe suchen müsse. Junge Familie? Hendrik musste bei diesem Gedanken immer noch lächeln, schließlich war Conrad nur wenige Jahre älter als sein Schwiegersohn. Lange genug hatte Hendrik gezögert, sich seine Liebe zur Tochter seines besten Freundes einzugestehen und sie zur Frau zu nehmen. Immer wieder waren es die weisen Ratschläge seines Schwiegervaters gewesen, die seine Entscheidungen beeinflusst und, wie Hendrik selbst wusste, auch häufig in die richtige Bahn gelenkt hatten. Nicht nur, was Clara betraf, mit der er nach wie vor eine glückliche Ehe führte – auch den Kauf des Hauses bereute Hendrik bis heute nicht, obwohl sie sich trotz Conrads großzügiger Hilfe damit bis an ihre finanziellen Grenzen herangewagt hatten.

Clara saß in Hendriks Lehnstuhl und las im trüben Licht einer fast heruntergebrannten Kerze. Als Hendrik eintrat, hob sie nur kurz den Kopf und vertiefte sich sogleich wieder in die Zeilen des Buches. Auch nachdem Hendrik Schuhe und Rock abgelegt hatte, machte sie keine Anstalten, ihre Lektüre zu unterbrechen. Erst nachdem er sich in Erwartung einer angemessenen Begrüßung vor ihr aufgebaut hatte, legte sie das Buch beiseite und sagte mit einem verheißungsvollen Lächeln: «Wusstest du eigentlich schon, dass du ein Affe bist?»

«Wie bitte?!» Hendrik stutzte für einen Moment. «Also ich finde, du könntest dich etwas zügeln. Du machst dir keine Vorstellung, was heute los war. Sicher, es ist spät – aber mich deshalb einen Affen zu schimpfen …»

Clara erhob sich und gab Hendrik einen zärtlichen Kuss auf die Wange. «Nicht was du denkst», sagte sie und deutete auf das Buch in ihrer Hand.

«Was liest du da?», fragte Hendrik verwirrt.

«Charles Darwin – ein Engländer. Er behauptet, dass der Mensch vom Affen abstammt. Klingt ganz plausibel. Und wenn ich dich recht betrachte …» Clara strich mit dem Handrücken über seine Bartstoppeln, worauf sich auch Hendrik ein Lächeln nicht verkneifen konnte und sie kurzerhand fest an sich zog.

«Hast du Hunger?», fragte Clara, nachdem sie sich aus seiner Umarmung befreit hatte. «Ich hab dir noch ein wenig Suppe warm gehalten.» Sie ging voran in die Küche, und Hendrik folgte ihr. Er schenkte sich aus einem Krug Wein ein und schnitt sich eine Scheibe vom Brotlaib ab, während Clara die Suppe aus einem emaillierten Bottich schöpfte. «Was war los heute?», fragte sie wie jeden Abend, während sie die Suppentasse vor Hendrik auf den kleinen Küchentisch stellte, beantwortete ihre Frage aber sogleich selbst: «Das ganze Viertel spricht von nichts anderem …»

Hendrik stippte mit dem Brotstück in die Suppe und versuchte, mit einer Handbewegung die Geschehnisse des Tages als unbedeutend abzuwerten. «Ein Toter – Engländer – er liegt jetzt bei deinem Vater auf dem Tisch. Wir wissen noch nichts Genaues.» Mit sichtlichem Heißhunger löffelte er die Suppe aus und reichte Clara die leere Tasse. «Sehr gut. Gibt's noch was?»

Es kam selten vor, dass Hendrik Claras Kochkünste lobte – vor allem, wenn es schlichte Kartoffelsuppe gab, die nicht gerade zu seinen Leibspeisen zählte; und dann auch noch ohne Einlage. Die knappe Antwort auf ihre Frage sowie der prompte Themenwechsel waren kein gutes Zeichen. Irgendetwas, schloss Clara, lag im Argen. Sie spürte, dass Hendrik sich Sorgen machte. «Hat das mit den Bauarbeiten auf dem Grasbrook zu tun?»

«Wie kommst du darauf?» Hendrik nahm die nachgefüllte Suppentasse entgegen und schnitt sich eine weitere Scheibe Brot ab.

«Henny hat erzählt, du hättest lange mit Dalmann gesprochen …»

«Ach! Weibergewäsch!», entfuhr es Hendrik und er warf Clara einen vorwurfsvollen Blick zu. «Hat Henriette Hellwege nichts Besseres zu tun, als mit dir herumzuklatschen?!»

«Sie meinte nur, sie hätte dich zusammen mit Direktor Dalmann auf der Baustelle gesehen und …»

«Aber natürlich!», unterbrach Hendrik sie barsch. «Schließlich wurde Charles Parker dort gefunden, und Dalmann ist für das ganze Gelände verantwortlich. Wie du dir vorstellen kannst ...»

«Charles Parker?», wiederholte Clara ruhig und setzte sich zu Hendrik an den Tisch. «Ist das der Name des Toten?»

«Ähh ..., ja. Charles Parker.» Hendrik merkte natürlich, dass er sich gegenüber Clara im Ton vergriffen hatte, denn nach seinen Schilderungen gab es ja eigentlich keinen Grund, der eine derartige Gereiztheit gerechtfertigt hätte. «Ein Ingenieur aus London», fuhr er in gemäßigtem Tonfall fort und erhob sich vom Tisch, um das Telegramm zu holen. Er zog das Papier aus der Rocktasche, faltete es auseinander und legte es vor Clara hin: «Und wenn du unbedingt meine Ermittlungsarbeit übernehmen willst ... Vielleicht bist du so freundlich, mir das hier zu übersetzen?»

Clara überhörte die Spitze – es war an der Zeit, die Wogen zu glätten. Sie nahm das Telegramm und übersetzte aus dem Stegreif:

«Wir bedauern den Vorfall zutiefst. Bitte teilen Sie uns baldigst mit, ob alle Teile unversehrt sind. Falls Sie es wünschen, schicken wir unverzüglich Ersatz. In der Hoffnung auf baldige Freigabe des angeforderten Materials von den zuständigen Stellen verbleiben wir hochachtungsvoll, usw usw.»

Hendrik schaute Clara verblüfft an: «Freigabe? Zuständige Stellen? Was soll das? Ersatz für was? Für Parker? Anscheinend interessiert man sich da auch nur für den Kran. Diese Krämerseelen. Die spinnen ja wohl. Hast du auch alles richtig ...?»

«Wort für Wort.» Clara reichte Hendrik das Telegramm zurück. «Wenn du meinen Englischkenntnissen nicht traust ...» Sie ließ den Satz unvollendet, denn sie wusste, dass der erneute Vorwurf eigentlich nicht ihr galt. Umso mehr war sie sich jetzt sicher, dass sich Hendrik wegen irgendeiner Sache Sorgen machte. «Um was für einen Kran geht es denn da?»

Hendrik überhörte die Frage. «Warte mal ...» Er schien mit seinen Gedanken ganz woanders. «Es sei denn, Dalmann hat es gewagt, auf eigene Faust ... So muss es sein. Das darf ja wohl nicht wahr sein!» Hendrik schlug mit der flachen Hand auf den Tisch, dass Clara erschrocken zusammenzuckte. «Jetzt schlägt's doch dreizehn! Na, der wird was erleben ...»

«Direktor Dalmann? Was hat er denn ...? Worum geht es hier eigentlich?», bohrte Clara.

Hendrik schaute sie böse an: «Du mischst dich schon wieder ein.»

«Natürlich mische ich mich ein», entgegnete Clara beleidigt. «Gerade hast du dich über uns Weiber aufgeregt. Ob wir nichts Besseres zu tun hätten ...»

«Ich habe von Henny gesprochen!» Nun war auch Hendrik beleidigt.

«Aber genau das ist es! Wir Weiber haben nichts Besseres zu tun. Ich sitze hier den ganzen Tag herum – so viel gibt der Haushalt nicht her, auch wenn wir uns keine Köchin oder Hilfe leisten können.» Ohne dass es beabsichtigt war, hatte Clara die Lautstärke ihrer Stimme der Hendriks angeglichen. «Und Sören», setzte sie nach und steigerte die Lautstärke abermals, «Sören ist langsam aus dem Alter raus, wo man sich ständig um ihn kümmern müsste. Er treibt sich so oder so den ganzen Tag herum. Entweder mit Martin auf dem Grasbrook oder mit diesem Jonas bei den Schiffbauern!»

Die Heftigkeit ihrer Erregung verblüffte Hendrik

nun doch. Es war nicht so, dass er Claras Unzufrieden-heit in den letzten Monaten nicht bemerkt hätte, auch wenn sie bislang kein Wort darüber verloren hatte, aber eine solche Kaskade, einen solchen Gefühlsausbruch hatte er in dieser Situation nicht erwartet.

Natürlich war er nicht ganz unschuldig daran, und Hendrik ärgerte sich über seine eigene Unbeherrscht-heit. Eigentlich hatte er sich Clara gegenüber in Still-schweigen hüllen wollen, was den Hafenausbau auf dem Grasbrook und die damit verbundenen Partikular-interessen betraf. Dafür war es jetzt zweifellos zu spät. Natürlich hatte sie längst mitbekommen, dass ihn die heutigen Vorkommnisse mehr als gewöhnlich beschäf-tigten. Was hatte er auch anderes erwartet – sie kannte ihn einfach zu gut. Dabei hatte sich Hendrik nur ge-ärgert, dass Dalmann sich offenbar über seine Anwei-sung, keinen Kontakt mit London aufzunehmen, hinweggesetzt hatte. Beschwichtigend fasste er sie am Unterarm und versuchte, das Thema zu wechseln: «Sö-ren interessiert sich eben für Schiffe. Ich finde das gar nicht …»

«Darum geht es gar nicht!», fiel ihm Clara ins Wort und tippte sich energisch mit dem Zeigefinger gegen die Brust. «Hier, um mich geht es. Mir fällt hier bald die Decke auf den Kopf!»

So langsam kamen Hendrik Zweifel, ob ein Themen-wechsel wirklich angebracht war in einer Situation, wo ihn offenbar jeder weitere Satz vom Regen in die Traufe führte. Anscheinend hatte sich so viel in Clara aufge-staut, dass sie sich bei der erstbesten Gelegenheit ein-fach Luft machen musste – und nun war es eben so weit. «Und was gedenkst du zu tun?», fragte er vorsich-tig, erhielt aber keine unmittelbare Antwort. Also hakte er noch einmal nach: «Willst du vielleicht vormittags wieder in der Apotheke aushelfen?»

Clara rückte etwas vom Tisch ab und richtete ihren Blick zum Fenster – kein gutes Zeichen, denn draußen war es inzwischen stockfinster. «Ich hatte letzte Woche ein Gespräch mit Henny.»

Schon wieder Henny, dachte Hendrik und biss sich auf die Zunge, aber Clara hatte seine Gedanken bereits erahnt.

«Ja, schon wieder Henny», sagte sie sarkastisch. «Emily Godeffroy erwähnte ihr gegenüber beim Bridge, dass Cesar jemanden … also, er sucht jemanden für den Aufbau eines Herbariums.»

«Herbarium?»

«Eine Sammlung von Gräsern, Farnen und Moosen», erklärte Clara beiläufig, den Blick weiterhin stur auf das Fenster gerichtet.

«Hmm.» Hendrik schob den Suppenteller etwas beiseite und lehnte sich mit verschränkten Armen auf die Tischplatte, als wolle er Anteilnahme, Neugier und Einverständnis zugleich demonstrieren. «Das klingt interessant. In den Naturwissenschaften kennst du dich aus, und in Pflanzenkunde bist du unschlagbar …»

«Eben.» Auch Clara beugte sich nun über den Tisch und blickte Hendrik unvermittelt in die Augen. «Aber es wäre ein ziemlicher Schritt …»

«Naja», sagte Hendrik eher amüsiert: «Cesar Godeffroy wird das Herbarium ja nicht gerade auf einer Südseeinsel aufbauen wollen.»

«Nein», entgegnete Clara und machte ein ernstes Gesicht: «Ich würde für einige Zeit nach Brisbane gehen.»

Der weitere Abend war mehr oder weniger wortlos vorübergegangen. Erst hatte Hendrik an einen Scherz glauben wollen und angestrengt gelacht, wobei er noch darauf hinwies, dass er ja gar nicht so sehr daneben gelegen hätte – auch wenn er nicht vor Augen hatte, wie viele tausend Meilen Australien entfernt lag, so kannte er zumindest die ungefähre Lage des Kontinents. Aber als Clara ihn, nachdem er aufgehört hatte zu lachen, immer noch wie versteinert ansah, als ihr Tränen in die Augen schossen, war ihm plötzlich schwindelig geworden. Erst schwankte nur sein Stuhl, dann der ganze Boden, schließlich hatte sich die ganze Küche gedreht und er war mit einem pochenden Rauschen in den Ohren aufgesprungen.

Wie benommen war er hinauf in die erste Etage gegangen, hatte sich in der kleinen Kammer eingeschlossen, die Conrad, wenn es bei Hendrik und Clara einmal spät wurde, als Gästezimmer diente, hatte sich aufs Bett gelegt und einfach die Augen geschlossen, als könne er so einen bösen Alptraum abschütteln. An Schlaf war natürlich nicht zu denken – er war innerlich zu aufgewühlt. War es Clara mit ihrer Idee wirklich ernst? Natürlich führten sie eine unkonventionelle Ehe, und sie wusste, dass Hendrik nie von seinem Hausherrenrecht Gebrauch machen würde. Aber ein verheiratetes Frauenzimmer allein bei den Sträflingen und Eingeborenen in Australien? Es dauerte noch Stunden, bis die Müdigkeit Hendrik endlich übermannte.

~ *Schularbeiten* ~

Sören war spät dran. Hastig hatte er die zwei Brote, die geschmiert auf dem Küchentisch warteten, heruntergeschlungen, hatte seinen Ranzen umgebunden und sich auf den Weg zur Schule gemacht. Sein Vater musste das Haus schon vor Sonnenaufgang verlassen haben, was selten vorkam – aber nach dem abendlichen Streit seiner Eltern, den Sören von seinem Zimmer aus undeutlich mitbekommen hatte, konnte er sich schon vorstellen, warum das gemeinsame Frühstück heute ausgefallen war. Nachdem Ruhe im Haus eingekehrt war, hatte er noch einmal eine Kerze angezündet und leise den großen Atlas, ein Geschenk von Onkel Conrad zum vierzehnten Geburtstag, durchstöbert – Brisbane hatte er nicht gefunden, aber dass er Mutter begleiten würde, stand für ihn fest. Sicher würden sie auf einem großen Schoner oder sogar auf einem Clipper segeln und mehrere Monate unterwegs sein. Erst weit nach Mitternacht hatte Sören das kostbare Buch beiseite gelegt, und es hatte bestimmt noch eine weitere Stunde gedauert, bis die Aufregung verflogen und ihm die Augen zugefallen waren.

Das allmorgendliche Treffen an den Buten Kajen musste heute ausfallen – lediglich bei Schröders Eisenwarenhandlung hatte Sören einen kurzen Halt eingelegt und einen sehnsuchtsvollen Blick in die Auslage hinter dem großen Schaufenster geworfen. Rechts vor dem

Miller'schen Sextanten lag es: das ersehnte Takelmesser mit der ledernen Stiefelscheide und dem Griff aus Rosenholz. Sören blickte auf das kleine Preisschild und schüttelte den Kopf. Nein, der Preis war immer noch derselbe, und zwölf Taler fehlten ihm. Er zwang sich ein Lächeln ab, als das Gesicht vom alten Schröder hinter der Fensterklappe auftauchte, ignorierte die einladende Handbewegung, rückte den Ranzen zurecht und rannte schnurstracks in Richtung Schule – mit ein wenig Glück würde er es noch rechtzeitig schaffen.

Sörens Platz war in der hintersten Bankreihe, und alle mussten noch einmal aufstehen. Aber er hatte Glück: Rasmus Tengelmann kam noch später, und der strafende Blick von Dr. Paetzold traf nicht ihn. Die ersten zwei Stunden wurde Sören nicht ein einziges Mal aufgerufen, und so wagte er es schließlich in der zweiten Lateinstunde, vorsichtig die Abschrift aus Bergers Handbuch der Takelage unter der Bank zu lesen. Dass das Studium der unterschiedlichen Klüverformen, Marssegel, Bram- und Gaffeltoppsegel der Lektüre des Catull vorzuziehen war, daran zweifelte er nicht. Eine Zeit lang ging es auch gut, und Sören versuchte sich gerade die Unterschiede zwischen Großuntermarsrah und Großunterbramrah zu merken, als ihn unerwartet der Ellenbogen seines Banknachbarn Ludwig Biedermann traf. Dr. Paetzold war nicht entgangen, dass Sören sich mit etwas anderem als mit dem Unterrichtsstoff beschäftigte. Nun stand er vor der letzten Bankreihe und blickte, wie es seine Art war, wenn er sich einen direkten Tadel verkniff, mit gesenktem Haupt auf Sören hinab:

Cenabis bene, mi Fabulle, apud me
paucis, si tibi di favent, diebus,
si tecum attuleris bonam atque magnam
cenam, non sine candida puella
et vino et sale et omnibus cachinnis.

«Ich bitte um eine Übersetzung! Vielleicht ...» Dr. Paetzold blickte sich suchend um, und alle Köpfe senkten sich, obwohl ihn die Schüler gut genug kannten, um zu wissen, dass er es in diesem Moment allein auf Sören Bischop abgesehen hatte. «Vielleicht einmal der junge Bischop!» Auffordernd tippte er mit seinem Bambusstock gegen die Bank.

Eigentlich hätte Sören aufstehen müssen, aber zuerst war das Blatt mit den Takelformen zu verstecken, das er mit dem Knie fest gegen die Bankunterkante gedrückt hielt. Er versuchte umständlich, mit der rechten Hand das Blatt zur Seite zu ziehen, was ihn dazu zwang, Dr. Paetzold für einen Moment den Rücken zuzukehren. Schließlich stand Sören aufrecht, den Zettel mit beiden Händen hinter dem Rücken haltend: «Gut wirst du, Fabullus ...» Er stockte und blickte zur Tafel. Aber auch dort fand er keinen Hinweis auf das ihm fehlende Verb, also übersprang er die Stelle einfach. «... Ab morgen sind die Götter hold», übersetzte er tapfer weiter – «weil du ihnen Essen und hübsche Mädchen mitbringst ...» Die ganze Klasse lachte laut auf und Sören spürte, wie ihm das Blut in den Kopf schoss. «... Und natürlich Wein, Salz und, na, Dingsbums.» Dr. Paetzold musste sich gegen das schallende Gelächter der Klasse durch mehrere Stockschläge auf die Tischplatte Gehör verschaffen, und sofort wurde es mucksmäuschenstill. Eher belustigt als tadelnd blickte er in die Runde: «Aha – meiner Meinung nach eine sehr freie Übersetzung, die uns Bischop hier liefert. Erstaunlich finde ich vor allem, woher das Gerundium stammt! Also:

> *Gut wirst du, Fabullus, bei mir speisen,*
> *falls die Götter dir hold sind, nächster Tage,*
> *wenn du selbst ein gutes, reiches Essen*
> *mitbringst und nicht vergisst ein hübsches Mädchen,*
> *Wein und Witz und des Lachens gute Geister.*

Und womit beschäftigen wir uns sonst so?» Auffordernd streckte Dr. Paetzold die Hand in Sörens Richtung.

Widerwillig händigte Sören seinem Lehrer das Papier aus, der die darauf befindlichen Zeichnungen sorgfältig studierte und dabei die Stirn in Falten legte. «Sören Bischop beschäftigt sich im Lateinunterricht mit Ansichten von unterschiedlichen Schiffstypen. Ich sehe hier eine Bark, ein Vollschiff ...» Dr. Paetzold faltete das Papier und steckte es in seine Rocktasche. «Vielleicht kannst du der Klasse, da du dich ja so gut mit Schiffen auskennst, etwas über die Phaselus erzählen?»

«Ein Gedicht über sein Segelschiff.»

«Ja, ja», entgegnete Dr. Paetzold. «So ist es. Phaselus ille, quem videtis, hospites, ...»

Weiter kam er nicht, denn Sören hatte zur Überraschung aller bereits begonnen:

> *«Dies schmucke Boot, das ihr hier, Freunde, vor euch seht,*
> *erklärt, dass es das schnellste Schiff gewesen und*
> *dass keines schwimmenden Gebälkes Ungestüm*
> *ihm je zuvorgekommen sei, ob Ruderschlag*
> *benötigt ward zum Flug, ob volles Segelwerk ...»*

Es mochte Dr. Paetzold nicht recht gelingen, sein Erstaunen zu verbergen. Nachdem er, während Sören das Gedicht vortrug, mit dem Stock die Betonung der Verse in die Luft gezeichnet hatte, meinte er nur kurz: «Recht gut, Bischop, setzen!» Dann wandte er sich um und schritt seinen Bart streichend langsam in Richtung Katheder zurück. «Und um was für ein Versmaß handelt es sich?» Er drehte sich um und zeigte auf den kleinen Adi: «Woermann!?»

Adolph Woermann stand erschrocken auf und stotterte verlegen: «Äh, ja … ähm … vielleicht Hexameter?»

Dr. Paetzold lächelte: «Adolphus adest: iuvenes, consurgite!» Er machte eine auffordernde Handbewegung in die Runde, sich zu erheben. Nachdem alle von ihren Plätzen aufgestanden waren, meinte er: «Catull hat nur zwei Texte in Hexametern verfasst, einer davon ein Hochzeitsgesang in Wechselchören – ungefähr acht Seiten Text. Wollt ihr den vielleicht bis morgen auswendig lernen?» Er schaute sich fragend um. «Also, in welchem Versmaß werden die Ruder der Phaselus bewegt?» Schließlich zeigte er erneut auf Sören: «Vielleicht weiß das Bischop auch?»

Sören schaute Hilfe suchend zu Martin, der hinter seinem Pult drei Finger in die Höhe hob. «Also, …ja, Trimeter», schlug er zögerlich vor.

Dr. Paetzold nickte stumm, als würde er sich damit zufrieden geben. «Du versetzt mich immer wieder in Erstaunen, Bischop. Kannst du mir vielleicht auch noch sagen, ob Archilochischer oder Jambischer Trimeter?»

Ja, so war er, der Paetzold. Sören hatte die Ausdrücke noch nie in seinem Leben gehört – er war sich sogar ziemlich sicher, dass Dr. Paetzold sie im Unterricht noch nie erwähnt hatte, und niemand in der Klasse eine Antwort auf die Frage wusste. Auch Martin zuckte hilflos mit den Schultern, und wenn nicht einmal Martin es wusste ...

«Das kommt darauf an ...»

«Soso. Und worauf?», fragte Dr. Paetzold in einem Ton, der unendliche Geduld ausdrücken sollte, und tippte mit seinem Stock auf den Boden.

«Ja, also ...» Sören schaute sich verlegen um – jeder in der Klasse hatte erwartungsvoll seine Augen auf ihn gerichtet. «Ja, also ... ob die Phaselus segelt, rudert, oder ob die Dampfmaschine an ist», sagte er schließlich mit dem Mut der Verzweiflung, woraufhin die Klasse erneut in grölendes Gelächter ausbrach.

Dr. Paetzold hob die Augenbrauen, machte einen spitzen Mund, drehte sich zum Fenster und nickte. «Bene», sagte er schließlich, nachdem wieder etwas Ruhe eingekehrt war. «Schluss für heute – und, Bischop!? ...» Sören stand mit hochrotem Kopf immer noch aufrecht hinter seiner Bank. «Komm doch bitte gleich noch mal zu mir, ja?»

Ojemine! Was hatte er sich da nur eingebrockt – das waren mindestens drei Seiten pro Lacher. Im Hinausgehen schlugen ihm einige seiner Mitschüler anerkennend mit der Hand auf die Schulter.

Dr. Paetzolds Studierstube lag ein Stockwerk höher. Martin hatte seinem Freund zwar angeboten, unten auf ihn zu warten, aber Sören hatte entschieden abgelehnt. Nachdem er allen Mut zusammengenommen hatte, klopfte er an und öffnete vorsichtig die Tür. Dr. Paetzold saß hinter seinem kleinen Schreibtisch und tat, als sei er vollkommen in seine Lektüre vertieft. In respektabler Distanz zur Tischkante blieb Sören schließlich stehen, senkte den Kopf und zählte die Astlöcher auf den Dielen.

«Woher kanntest du Catulls Phaselus?» Dr. Paetzold schloss langsam das vor ihm liegende Buch und schaute Sören fragend an. «Das war doch auswendig, nicht wahr? Wie mir scheint, hat sich der Schüler Bischop einen ganz eigenen Zugang zum klassischen Bildungsgut gesucht.»

Sören fiel ein Stein vom Herzen. Offenbar gab es heute keine Standpauke, trotz seines geradezu tollkühnen Verhaltens. Es gehörte schon einiges dazu, Dr. Paetzold vor versammelter Mannschaft eine solche Antwort zu geben. Niemand aus der Klasse hätte das gewagt, und das aus gutem Grund. «Ganz ehrlich ... ich interessiere mich für alles, was mit Schiffen und Wasser zu tun hat ... Die Phaselus habe ich mir irgendwie gemerkt», sagte er.

Dr. Paetzold schaute ihn lange und eindringlich an. «Das war trotzdem sehr schön aufgesagt – sogar das Versmaß stimmte. Übrigens ein Jambischer Trimeter. Das konntest du natürlich nicht wissen, aber vielleicht merkst du es dir ja fürs nächste Mal ...»

«Ich werde ganz bestimmt nicht wieder so vorlaut ...»

«Nun», unterbrach Dr. Paetzold ihn, «keine falschen Vorsätze. Ich nehme es zur Kenntnis! Gibt es außer Schiffen sonst noch etwas, wofür du dich interessierst?»

Sören nickte, aber ihm fiel einfach nichts ein. Was sollte er jetzt auch das Blaue vom Himmel herunterlügen. Natürlich wusste Dr. Paetzold genau, wofür man sich mit vierzehn Jahren interessierte – und Verse von Catull oder Ovid gehörten nur in sehr begrenztem Maße dazu. Zahlen und Sterne waren auch nicht gerade Sörens Stärke, Letzteres zu seinem eigenen Missfallen, schließlich musste er sich irgendwann, wollte er zur See fahren, zwangsläufig mit Himmelskunde befassen – wie sollte er sonst navigieren? Blieb noch die Geschichte. Aber alles, was ihm momentan dazu einfiel, hatte ebenfalls irgendwie mit Seefahrt und Eroberungen zu tun: Drake, Vasco da Gama, Christoph Columbus, Störtebeker … Was sollte er antworten, wenn Paetzold ihn nach Hannibal oder nach den Kreuzzügen fragte? Sören hatte nicht einmal die groben Eckdaten parat. Gerade wollte er anfangen, die Naturwissenschaften ins Feld zu führen – darin hatte er dank seiner Mutter Kenntnisse, die weit über den Wissensstand seiner Klassenkameraden hinausgingen – da fiel ihm die Flaschenpost ein. Wann sonst, wenn nicht jetzt? Das war die Gelegenheit.

«Schriften», stotterte Sören zaghaft.

«Schriften?»

«Ja, alles, was mit Schrift zu tun hat.» Er kramte den Zettel aus der Hosentasche, auf dem er einige Wörter der geheimnisvollen Flaschenpost abgeschrieben hatte, und reichte ihn Dr. Paetzold.

«Kyrilliza», meinte der schließlich, nachdem er den Zettel eingehend studiert hatte. «Sehr interessant – scheint mir Kyrillisch zu sein.»

«Ist das eine Geheimschrift?», fragte Sören aufgeregt.

«Nein, nein.» Dr. Paetzold lachte amüsiert. «So heißen die Schriftzeichen – etwa der russischen Sprache», erklärte er und fügte hinzu: «Aber ich muss dich enttäuschen. Ich kann kein Russisch und dir nicht sagen, was das heißt. Da wirst du dich an einen der vielen Auswanderer aus dem Osten wenden müssen. Der ganze Hafen ist ja voll von ihnen.» Dr. Paetzold erhob sich langsam und reichte Sören den Zettel zurück. «Und bevor du jetzt gehst …»

«Jetzt kommt's», dachte Sören und machte sich schon darauf gefasst, den Rest des Tages mit Catull oder Ovid verbringen zu dürfen.

«… lass dir noch eines raten.» Dr. Paetzold blickte Sören auf einmal sehr ernst an. «Verlege bitte das Segeln auf die Zeit nach der Schule, ja?! So, das war's – und jetzt raus mit dir.»

Dr. Paetzold hatte Recht. Tatsächlich waren unter den vielen Fremden, die schon seit geraumer Zeit große Teile der hafennahen Gebiete bevölkerten und mehr oder weniger lange auf ihre Passage nach Übersee, in erster Linie Amerika warteten, auch viele auswanderungswillige Menschen aus dem Zarenreich. Es waren vornehmlich ärmere Menschen, Landarbeiter und Tagelöhner, welche aus sozialer Not oder wirtschaftlicher Unzufriedenheit allen Gefahren und Strapazen der langen Reise und einer ungewissen Zukunft zum Trotz den Entschluss zum Auswandern gefasst hatten. Nicht selten blieben viele länger als geplant in der Stadt, denn das Geld, das sie für die oft monatelange Reise gespart hatten, war meistens schon nach kurzer Zeit aufgebraucht.

Einen großen Teil davon strichen die Auswanderungsagenturen ein, welche die Reeder überall in Deutschland errichtet hatten, um die Menschen auf ihre Schiffe zu locken – hinzu kamen die Schifffahrtsagenten. Auch in Hamburg selbst profitierten immer mehr vom Geschäft mit den Auswanderern. Die Zimmervermieter machten schon seit einigen Jahren das Geschäft ihres Lebens. Auf engstem Raum wurden die

Menschen zusammengepfercht. Andere hatten sich auf den Verkauf spezieller Reiseutensilien verlegt, von Proviant und Kleidung bis hin zu vorbeugenden Medikamenten, fragwürdigen Heilmitteln gegen Seekrankheit und Gegengiften für Schlangenbisse und Skorpionstiche, welche man den Auswanderern aufschwatzte. Besonders häufig fielen die Ahnungslosen auch auf vermeintlich günstige Geldtauschgeschäfte herein; dies alles mit dem Ergebnis, dass die Auswanderer in ihren elenden Quartieren hockten und das Geld für die Passage nicht mehr zusammenbekamen.

Sören hatte die Klagen seines Vaters noch im Ohr, denn die Armut unter den Auswanderern trieb diese Menschen nicht selten in die Kriminalität. Hendrik Bischop hatte zwar schon vor zehn Jahren erfolgreich für eine Polizeiverordnung gekämpft, die es den Hamburger Logis-Wirten untersagte, sich bei Ankunft von Auswandererzügen auf dem Bahnhof aufzuhalten und ahnungslose Opfer zu suchen, aber natürlich mangelte es an Kontrolleuren, und die Verordnung hatte sich rasch als wirkungslos herausgestellt.

Den ganzen Heimweg dachte Sören darüber nach, wie er es am besten anstellte, Kontakt zu Auswanderern aus Russland aufzunehmen, und dann, als er am Kleinen Bauhof den Neuen Wandrahm passierte, fiel es ihm plötzlich ein: Hatten nicht Lutteroths eine russische Köchin? Sören erinnerte sich an ein Gespräch zwischen seiner und Martins Mutter, in dem sich Henriette Hellwege darüber mokierte, dass jetzt auch Lutteroths schon billiges Personal aus Russland hätten. Der Herr Bürgermeister bräuchte sich nicht zu wundern, wenn er demnächst nur noch Suppe vorgesetzt bekäme. Seine

Mutter hatte daraufhin nur höflich gelächelt, schließlich gab es bei den Bischops überhaupt keine Hausangestellten, aber die gute Henny hatte ihre Taktlosigkeit gar nicht bemerkt und munter weiter gelästert.

Ganz im Gegensatz zu ihrem Mann redete Henriette Hellwege ohnehin fast ununterbrochen – am liebsten über andere Leute und übers Geld, was Christian, Martins Vater, immer sehr unangenehm war. Christian Hellwege war eher zurückhaltender Natur und hatte, ganz wie Sörens Vater, immer ein offenes Ohr und zudem meistens noch ein paar Süßigkeiten in der Rocktasche. Womit er sein Geld verdiente, wusste Sören nicht so genau – aber schaute man Henny an, die stets aufs Vornehmste gekleidet und schmuckbehangen das Haus verließ, konnte man sich schon denken, dass die Geschäfte ihres Mannes gut liefen. Hendrik hatte einmal erklärt, Christian Hellwege verdiene sein Geld, weil er es an andere verteile, was Sören nicht so recht verstanden hatte, denn Hellweges hatten kein Bankhaus. Auch bekleidete Martins Vater keine politischen Ämter. Er war weder Senator noch hatte er einen Platz in der Bürgerschaft. Wie dem auch war: zumindest kannten Sörens Eltern Hellweges schon recht lange, und so wurden die teils deplatzierten Bemerkungen von Henny von ihnen geduldig ertragen. Was für Sören in diesem Moment entscheidend war: Hellweges wohnten nur drei Häuser neben Bürgermeister Lutteroth – Martin würde schon wissen, wie man am besten Zutritt zum Haus erhielt. Gleich nach dem Mittagessen, beschloss Sören, würde er rüber in den Neuen Wandrahm laufen und Martin einspannen. Obwohl, vielleicht konnte er die Angelegenheit auch alleine regeln ...

Das Hausmädchen, das die Tür öffnete, war kaum älter als Sören selbst. Nein, der Bürgermeister weile im Rathaus und außerdem wohnten die Herrschaften zur Zeit auf dem Landsitz, fügte sie hinzu, worauf Sören ihr erklärte, er wolle eigentlich gar nicht zur Familie, sondern zur Köchin. Für einen kurzen Augenblick schien sie zu überlegen, ob er vagabundiere und um Essen betteln wolle, worauf sie die Tür bis auf einen schmalen Spalt schloss. Aber Sören hatte schon blitzschnell den Fuß dazwischen geschoben. Er zog den Brief aus der Tasche und präzisierte sein Anliegen, woraufhin das Mädchen kicherte, Sören das Papier aus der Hand riss und ihm die Tür vor der Nase zuknallte.

Da stand er nun etwas verdattert und ärgerte sich, dass er ohne Martin zum Haus der Lutteroths gegangen war. Aber die Aussicht, seinem Freund mit überlegener Miene den geheimen Inhalt der Flaschenpost zu entschlüsseln, war einfach zu verlockend gewesen. Jetzt war der Brief weg – das hatte er nun davon. Enttäuscht lehnte er sich an das schmiedeeiserne Geländer der großen zweiflügligen Freitreppe vor dem Haus und blickte an der Fassade des Hauses empor. Alle Häuser, die den Neuen Wandrahm flankierten, konnten großzügig dekorierte Fassaden vorweisen. Die schlichten Untergeschosse ragten weit über das Straßenniveau hinaus. Es gab keine ebenerdigen Portale, wie sie die meisten großen Handels-, Wohn- und Lagerhäuser hatten, durch die man mit dem Wagen direkt in die Diele des Hauses hineinfahren konnte. Nein, diese Häuser zeigten bereits mit ihren Fassaden, dass es keine Lagerböden in den oberen Geschossen, keine Speicherflächen gab, sie waren ausnahmslos zu Wohn- und Repräsentationszwecken erbaut worden. Allein die

Fensterflächen zeugten von der großzügigen und klar gegliederten Raumfolge.

Sören drehte sich um und warf einen Blick auf die andere Straßenseite. Gegenüber stand das Anwesen der Familie Chapeaurouge. Martin hatte ihm erzählt, dass man solche großen Wohnhäuser Palais nannte. Wer hier wohnte, hatte nicht nur einen Namen, sondern auch viel Geld. Allein die Bauzeit der Häuser belegte, dass die Familien trotz der teilweise fremdsprachigen Namen bereits seit Generationen in Hamburg ansässig waren. Die meisten der Häuser hier stammten noch aus dem 17. Jahrhundert. Das auffälligste Merkmal waren die großen, zweiflügeligen Freitreppen, über die man das eigentliche Erdgeschoss erreichte. Ab hier gliederten durchlaufende Pilaster die Fassaden. Nach zwei, meistens jedoch drei Etagen krönte ein reich geschmücktes Giebelfeld oder ein Segmentbogen die Traufe. Gesimse, Brüstungen und Fensterpfeiler waren ebenfalls reich dekoriert, entweder mit Girlanden geschmückt oder mit Schmuckfriesen eingefasst. Alle diese Häuser waren natürlich hell verputzt, mit Ausnahme des Hauses der Familie Chapeaurouge, dessen Fassade mit geschlämmten Backsteinen ausgeführt war und dadurch einen augenfälligen Kontrast im Straßenbild bot. Sören wollte gerade gehen, als sich die schwere Tür des Lutteroth'schen Portals erneut öffnete. Das Mädchen war diesmal in Begleitung einer älteren Hausangestellten.

«Willst du etwas zu essen?», fragte sie.

«Nein», erwiderte Sören, «das ist es nicht. Ich meine, hier gibt es doch eine Köchin aus Russland, und ich wollte fragen ... ich habe hier ...» Er schüttelte den Kopf und blickte das junge Mädchen gequält an. «Ich hatte», stotterte er, «ich wollte einfach nur fragen, ob sie mir etwas übersetzen kann.»

«Komm rein, Bürschchen», meinte die Ältere und machte eine auffordernde Handbewegung.

Während Sören von den beiden quer durchs Haus in den Wirtschaftstrakt geführt wurde, erfuhr er, dass die Köchin Irina hieß und tatsächlich aus Russland stammte. Sie war bis vor zwei Jahren Köchin im Winterpalast von Zar Alexander gewesen und dann über Österreich nach Hamburg ins Haus der Lutteroths gekommen.

Irina stand mit zwei weiteren Mädchen vor einer riesigen Anrichte und war damit beschäftigt, das Silber zu putzen. Vor ihr ausgebreitet lagen unzählige Messer, deren Schärfe sie mit einer flinken Handbewegung am Fingernagel ihres linken Daumens testete, um sie danach in samtenen Schatullen abzulegen.

«Irina!», rief die Ältere und schob Sören in Richtung Anrichte. «Besuch für dich!»

«Besuch für mich?» Die Köchin blickte auf. «Aus Heimat?»

Sören schüttelte den Kopf. «Nein, aus dem Holländischen Brook.»

«Ich nicht aus Holland – ich aus Minsk! Das ist in Russland», erklärte Irina. «Und was ist Brock?», fragte sie etwas mit rollendem r und wandte sich Sören zu.

«Ja, nein, ich weiß.» Sören schüttelte erneut den Kopf. Offenbar war es nicht ganz einfach, sich mit der Köchin zu verständigen. «Nein, ich habe hier eine Nachricht», erklärte er und hielt ihr den Brief entgegen, aber zu weiteren Erklärungen kam er nicht.

Irina lief freudestrahlend auf ihn zu: «Oh, du Nachricht von Oleg – es gehen ihm gut? Er bald kommt? Setz dich – ich mache Supp. Echte Supp aus Minsk!»

Mit einer stürmischen Bewegung zog sie Sören an sich und umarmte ihn mit einer solchen Kraft, dass seine Rippen krachten. Dann riss sie ihm den Brief aus der Hand und überflog hastig die Zeilen. Ihre Miene verfinsterte sich, und fragend blickte sie Sören an. «Was schreibt Oleg für ein Slabo, für eine Tupo, eine Blödsinn! Ich nix verstehe!»

«Das ist ein Missverständnis», erklärte Sören geduldig. «Der Brief ist nicht von Ihrem Oleg. Das ist ein Brief aus einer Flaschenpost. Ich dachte, Sie könnten ihn mir übersetzen.»

«Was für Post?»

«Eine Flaschenpost!» Sören blickte sich Hilfe suchend im Raum um. Die beiden Mädchen standen tuschelnd am Tisch und versuchten, ein Kichern hinter vorgehaltener Hand zu verbergen. Alberne Gänse, dachte Sören und nahm eine Karaffe von der Anrichte. Er deutete auf den Brief, dann zeigte er in den Hals der Karaffe und erneut auf den Brief.

Irina schaute Sören verdutzt an. Schließlich murmelte sie undeutlich etwas wie «Potschtafbutölk» und starrte mit ungläubigem Gesicht auf den Brief.

Sören nickte bestätigend und wiederholte, indem er jede Silbe betonte: «Fla-schen-post.»

Plötzlich fing Irina lauthals zu lachen an und schüttelte den Kopf. «Njet!», rief sie. «Wenn Potschta von Oleg übers Wasser zu mir, ich längst tot – Russland sehr groß! Sehr groß und sehr weit!» Sie verdeutlichte die Größe ihres Heimatlandes mit einer ausladenden Geste, und Sören fiel es angesichts ihrer wogenden Formen nicht schwer, sich die unendliche Weite Russlands vorzustellen. «Außerdem nix Wasser bei Oleg und wir nix Tochter!»

«Nein, nicht von Oleg!», wiederholte Sören unverdrossen. «Ich weiß nicht von wem! Ich habe das gefunden und kann es nicht lesen.»

Eines der Mädchen beugte sich schließlich zu Irina und tuschelte ihr irgendetwas ins Ohr, dann wandte sie sich dem anderen Mädchen am Tisch zu, worauf beide erneut albern zu kichern begannen.

«Perewodietch?», fragte Irina und deutete auf den Brief. Sören verstand zwar nicht, nickte aber in der Hoffnung, es möge *vorlesen* bedeuten, mit dem Kopf.

«Also, hier schreiben: Vater verabschiedet sich von schöne Stadt und mit große Freude auf Amerika, aber auch traurig, denn Tochter sein krank – viel Kaschelj, viel Husten und weiß nicht, ob gut. Anderer Mann auf Schiff hat erzählt, wenn krank, Mädchen vielleicht zurückgeschickt und verkauft. Er nicht mehr darf runter von Schiff und hat noch wichtige Nachricht für Palkownik Jurjew. Ihm sein eingefallen, dass wenn Wasser in viele Gläser auf Tablett, kann man leichter tragen, als wenn Wasser ohne Gläser auf Tablett. Finder sollen bringen Nachricht zu Palkownik Jurjew, der arbeiten bei Werft an Garoda Zaplja. Es geben Belohnung.» Irina ließ den Brief langsam sinken. «Du verstehen?»

«So gut wie nichts», gestand Sören. «Was heißt *Palkownik Jurjew*?»

«Jurjew? Jurjew ist Name und Palkownik ist Soldat – nicht einfache Soldat, gehen zu Fuß, sondern schon wichtig. Ich weiß nicht wie sagt man … eben fast General.»

«Und was bedeutet *Groda Sappeljahr*?»

«Garoda heißen kleine Straße, gehen zu Fuß und Zaplja großer Vogel, ich nicht weiß, wie heißen auf Deutsch. Wo du gefunden?»

«Im Hafen», erwiderte Sören. «Mehr steht nicht drin?»

Irina schüttelte den Kopf. «Klingt sehr traurig schon so. Sehr sehr traurig und sehr böse, wenn krankes Kind verkauft.» Dann reichte sie Sören den Brief zurück. «Was du jetzt machen?»

Sören zuckte enttäuscht mit den Schultern. «Ich weiß nicht.» Er hatte insgeheim natürlich etwas anderes, etwas Spannenderes erwartet: den Hinweis auf einen Seeräuberschatz, eine einsame Insel oder vielleicht ein gestrandetes Piratenschiff. Außerdem, was sollte die Geschichte mit dem Tablett und den Gläsern? Die Nachricht ergab überhaupt keinen Sinn. Eine Belohnung, nun gut. Aber wie sollte er einen General namens Jurjew finden? Und überhaupt: In Hamburg gab es keine russischen Soldaten. Niedergeschlagen verließ Sören das Haus der Lutteroths und machte sich auf den Weg nach Buten Kajen in der Hoffnung, dort vielleicht noch Jonas zu treffen. Tatsächlich war Jonas da und nahm ihn mit hinüber zum Kleinen Grasbrook. Martin gegenüber brauchte er die Geschehnisse gar nicht zu erwähnen – der würde sich nur totlachen über die Geschichten vom russischen General und vom kranken Töchterlein. Vermutlich war die Flaschenpost vor Ewigkeiten in Russland auf die Reise geschickt worden und hatte durch Strömungen und Gezeiten begünstigt bis nach Hamburg gefunden. Jedenfalls gab es keinen Anhaltspunkt, von dem aus Sören der Sache weiter hätte nachgehen können, und außerdem klang das alles stinklangweilig.

~ *Ermittlung* ~

*A*uf seinem frühmorgendlichen Weg zur Polizeistation hatte Hendrik Bischop einen kurzen Abstecher zur Gertrudenstraße gemacht, aber Conrad hatte auch nach mehrmaligem Schellen nicht geöffnet, was nur bedeuten konnte, dass der Medicus schon oder immer noch bei der Arbeit war. Die Straßen waren um diese Uhrzeit noch unbelebt, und so machte sich Hendrik auf den Weg zum Krankenhaus der Vorstadt St. Georg, in dessen Kellergewölben Amtsmedicus Conrad Roever seine Sezierstube hatte.

Aber die Kannibalenküche, wie Conrad diesen Raum scherzhaft nannte, war bis auf die blutigen Überbleibsel zweier akkurat zerlegter Ratten leer. Hendrik fand seinen Freund schließlich im angrenzenden Laboratorium. Auf den ersten Blick hatte es den Anschein, als wäre Conrad über dem Tisch eingeschlafen, aber nachdem Hendrik die eisenbeschlagene Kellertür behutsam geschlossen hatte, erkannte er, dass sich der Medicus konzentriert über ein Mikroskop beugte.

«Guten Morgen, Hendrik. So früh schon unterwegs?» Conrad blieb über das Okular gebeugt und machte lediglich eine begrüßende Handbewegung.

«Morgen», brummelte Hendrik zurück. Es war ihm schleierhaft, woher Conrad wusste, wer hereingekommen war. Wahrscheinlich hatte er geraten, denn sein Besuch war längst überfällig. In der Regel tauchte Hendrik bereits wenige Stunden nach der Anlieferung eines Leichnams hier auf und erwartete einen akribischen Bericht.

«Ich kann einfach nichts finden!» Conrad hob den Kopf, setzte seine Brille auf und drehte den Hocker in Hendriks Richtung. Er hatte die Stirn in tiefe Falten gelegt. «Es muss so klein sein, dass man es selbst unter dem Mikroskop nicht erkennen kann.»

«Was heißt, du kannst nichts finden?»

«Cholera – es muss einfach einen Erreger geben!»

«Suchst du immer noch bei den Ratten?», fragte Hendrik.

«Was heißt *immer noch*? Immer wieder!», entgegnete Conrad wütend. «Die letzte Epidemie ist erst knapp drei Jahre her. Über tausend Menschen in der Stadt sind elendig verreckt, und die nächste wird kommen. Ganz sicher. Einige meiner Kollegen sind der Meinung, es bestehe ein Zusammenhang mit den mangelnden hygienischen Zuständen in den Elendsquartieren der Stadt. Die Verhältnisse dort ändern sich aber nicht, sie sind immer gleich miserabel. Ich frage mich also, warum taucht die Cholera dann immer nur alle paar Jahre auf? Sie müsste demnach ständig grassieren. Ich will gar nicht abstreiten, dass es einen Zusammenhang zwischen den hygienischen Zuständen und der Cholera gibt, aber nur was die Ausbreitung der Seuche, nicht was ihre Herkunft betrifft.»

«Sicher», sagte Hendrik, «meist bricht die Seuche zuerst in Gegenden mit schlechten hygienischen Verhältnissen aus, denk doch an die Schiffe, die oft monatelang unterwegs sind. Da sieht es nicht anders aus. In den Tonnen verfault das Wasser, und der ganze Rumpf ist voller Ratten.»

«Aber ich kann mir nicht vorstellen, dass auf einem solchen Nährboden ganz von selbst ein Pilz oder etwas Ähnliches entsteht, was die Menschen in so kurzer Zeit dahinrafft. Das, was ich suche, vermehrt sich zwar unter diesen Bedingungen sehr rasch, aber es kommt bestimmt von außerhalb. Ich habe jetzt drei Cholera-Epidemien in unserer Stadt miterlebt, 1832, 1848 und vor drei Jahren. Jedes Mal wurden die ersten Fälle zwar annähernd zeitgleich gemeldet, aber in unterschiedlichen Stadtteilen. Die Betroffenen hatten keinen Kontakt miteinander. Daraus schließe ich, dass sich die Cholera nur auf einem Wege ausbreiten kann, nämlich übers Wasser – das Trinkwasser. Aber wenn es tatsächlich, wie ich vermute, einen Erreger gibt, wie kommt er dort hinein? Ich habe jetzt jahrelang Experimente mit Ratten durchgeführt. Die Krankheit überträgt sich nicht auf die Viecher, was vielleicht bedeutet, dass der Erreger von ihnen kommt und ihnen deshalb nichts anhaben kann. Aber ich kann verdammt noch mal, was ich auch untersuche, nichts finden!»

Beide schwiegen eine Zeit lang. Schließlich erhob sich Conrad und griff nach einem schmalen Ordner. «Aber du bist sicher nicht gekommen, um dir einen Vortrag über meine Hirngespinste anzuhören ...» Er schlug die Mappe auf und reichte Hendrik das darin befindliche Schreiben. «Fraktur der Halswirbelsäule», erklärte er. «Der Mann war auf der Stelle tot.»

Hendrik nahm den Bericht entgegen und blätterte darin herum. «Das sind keine Hirngespinste», antwortete er. «Was ist schon das eine Menschenleben hier gegen Hunderte von Cholera-Toten. Aber im Moment interessiert mich nur der hier.»

«Wenn er frühmorgens gefunden wurde», erklärte der

Medicus, «Schütz sagte mir etwas von neun Uhr, dann war er schon mindestens sechs Stunden tot.»

«Und höchstens?»

«Keine zwölf Stunden – aber das wirst du sicher schon selbst an Ort und Stelle herausgefunden haben.»

«Genaues kannst du nicht sagen?», fragte Hendrik.

Conrad schüttelte den Kopf. «Der Schlag wurde von schräg oben ausgeführt, das heißt, der Angreifer war mit Sicherheit von großer Statur, oder ...»

«Oder der hier hat sich gebückt», ergänzte Hendrik.

«Genau.»

«Tatzeitpunkt also zwischen spätem Abend und Tagesanbruch. Ich frage mich, was hat Charles Parker um diese Zeit dort am Hafenbecken verloren gehabt?»

«Du kennst bereits seine Identität?», fragte Conrad überrascht.

«Ein Engländer.» In groben Zügen klärte Hendrik Conrad über alles auf, was er bisher herausgefunden hatte.

«Ein Kran sagst du. Vielleicht wollte er die Kisten bewachen?», spekulierte Conrad, korrigierte sich aber sogleich: «Ergibt allerdings keinen Sinn, wenn die Kisten unversehrt geblieben sind. Und ein Raubmord scheidet wohl auch aus, schließlich trug der Tote noch seine Brieftasche bei sich. Dann war es also ein gezieltes Verbrechen?»

«Das vermute ich. Irgendetwas scheint mir da faul an dem Bauvorhaben Sandthor-Becken», sagte Hendrik und verschränkte die Arme vor der Brust. «Vielleicht gibt es einen Zusammenhang. Schütz hat gestern mit der Firma, für die Charles Parker gearbeitet hat, telegraphiert. Die wussten interessanterweise schon Bescheid.»

«Du meinst, es hat sie jemand vorher über den Tod ihres Mitarbeiters benachrichtigt?»

«Ja», bestätigte Hendrik. «Und ich ahne auch schon, auf wessen Initiative das geschah.»

«Und zwar?»

«Dalmann!»

«Dalmann?»

«Wer sonst hätte ein Interesse? Der denkt doch bloß an seinen Kran.»

«Du meinst, Direktor Dalmann könnte in den Mord an Parker verwickelt sein?»

«Das hoffe ich nicht. Er hat sich nach anfänglichem Zögern schließlich doch kooperativ gezeigt. Noch gestern ließ er mir eine Aufstellung aller Unternehmen zukommen, die in Frage kommende Kräne produzieren.»

«Du glaubst, ein Konkurrent könnte …?»

Hendrik machte eine abwehrende Handbewegung. «Weiß ich noch nicht», sagte er. «Schütz ist an der Sache dran. Jedenfalls muss ich erst einmal präzise Hintergrundinformationen zum Hafenausbau haben, bevor ich mich irgendwo in die Nesseln setze.» Er beugte sich zu Conrad vor: «Wie ich gehört habe, soll auch Wasserbaudirektor Hübbe seine Hände im Spiel haben.»

Der Medicus pfiff leise durch die Zähne. «Jetzt weiß ich, woher der Wind bläst. Aber bevor du einer fixen Idee verfällst, solltest du mit Senator Kirchenpauer sprechen.»

«Werde ich, werde ich. Aber alles zu seiner Zeit.»

«Was gedenkst du zu tun?»

«Ich werde zuerst Christian Hellwege aufsuchen. Er soll ein Treffen mit Carl Merck arrangieren. Privat versteht sich, schließlich ist Christian mit ihm verschwägert. Syndicus Merck ist für alle Schifffahrts- und Hafenangelegenheiten zuständig. Wenn da irgendetwas auf krummen Beinen steht, dann weiß er davon.»

«Ich mach dir einen anderen Vorschlag», entgegnete Conrad. «Franz Georg Stammann ist seit langem mein Patient – und ein sehr redseliger dazu. Ich weiß, dass er schon seit geraumer Zeit in allen möglichen Ausschüssen für die Hafenerweiterung sitzt. Außerdem ist er Wortführer einer Gruppe von Parlamentariern, die sich dafür einsetzen, dass der Hafenausbau zügiger, und zwar mit Fremdmitteln, vorangetrieben wird.»

«Fremdmittel?» Hendrik rekapitulierte rasch die Bedenken, die ihm Kondukteur Meyer auf der Baustelle mitgeteilt hatte. «Die Quaivorsetze auf dem Grasbrook soll von der Eisenbahn-Gesellschaft finanziert werden, die auch den Betrieb der Gleis- und Umschlaganlagen übernimmt. Dalmann verhandelt zur Zeit mit Stammann. Mit ihm, Merck und den Vertretern der Berlin-Hamburger Eisenbahn-Gesellschaft. Gestern gab es ein Treffen.»

«Du scheinst ja gut informiert zu sein.»

Hendrik wiegte den Kopf. «Wenn ich mir die Sache recht überlege, ist es kaum sinnvoll, Informationen von Leuten einzuholen, die derzeit, in welcher Form auch immer, am Hafenausbau beteiligt sind.»

«Neutrale Informationen wirst du von ihnen zwar nicht erhalten, aber was bleibt dir anderes übrig?»

«Willst du behaupten, Syndicus Merck und Stammann könnten nicht integer sein?», fragte Hendrik entsetzt.

«Das habe ich damit nicht gemeint – als Informationsquelle sind sie dir aber mit Sicherheit nützlich.»

«Tu, was du nicht lassen kannst.» Hendrik klemmte den Ordner unter den Arm und wandte sich der Tür zu.

«Ich wünsche uns beiden viel Glück – dir bei der Suche nach dem Erreger, und mir …» Er stockte. «Ja, ich weiß noch gar nicht, wonach ich suchen soll; da bist du mir mal wieder voraus.» Er warf seinem Freund noch ein gequältes Lächeln zu, dann fiel die schwere Kellertür ins Schloss.

Inspektor Johannes Schütz hatte die Polizeistation bereits wieder verlassen. Aus der Notiz, die Hendrik auf seinem Schreibtisch fand, ging hervor, dass er bis zum Mittag drei in Hamburg ansässigen Firmen, die Dampfkräne produzierten, einen Besuch abstatten wollte. Die Liste von Dalmann hatte Schütz, sehr zum Ärger von Hendrik, mitgenommen. Der Commissarius hinterließ eine Nachricht für Schütz, sich doch bitte bei der Telegraphenstation zu erkundigen, wie viele Telegramme nach London am Vortage aufgegeben worden waren, und die Empfängernamen mit den Adressen auf der Liste zu vergleichen. Er selbst werde gegen sechs Uhr zur Besprechung wieder auf der Station sein und erwarte einen ausführlichen Bericht. Dann machte sich Hendrik auf den Weg zur Baustelle auf dem Grasbrook. Es interessierte ihn vor allem, wer alles an der ursprünglich für heute angesetzten Kranvorführung hatte teilnehmen sollen, in welcher Form den Geladenen abgesagt worden war und ob nicht eventuell der eine oder andere dennoch den Weg auf die Baustelle gefunden hatte. Aber niemand außer den Bauarbeitern war anwesend, nicht einmal Franz Andreas Meyer war vor Ort. Der Kondukteur sei heute nur sehr kurz da gewesen, hörte Hendrik von einem Priem kauenden Vorarbeiter, und frühestens morgen könne er Meyer wieder hier antreffen. Nein, sagte der Mann auf Hendriks Nachfrage, er wisse nicht, wo Meyer sich jetzt aufhalte und ob es heute noch ein Treffen zwecks Kranvorführung geben werde.

Auch im Görtz'schen Palais erfuhr Hendrik eine Absage; Senator Kirchenpauer war nicht im Hause. Trotzdem trug der Commissarius seinen Besuch ins Protokollbuch ein und bat, ohne sein Anliegen schriftlich zu präzisieren, um einen Gesprächstermin mit dem Zusatz: *dringend*. In drei Tagen, so hieß es, war große Senatssitzung. Hendrik hoffte, dass Kirchenpauer bis dahin Zeit für ihn finden würde.

Christian hatte gleich gemerkt, dass Hendrik etwas auf dem Herzen lastete. «Am besten kommst du heute Mittag zu Cölln», hatte er gesagt, als Hendrik auf dem Weg zum Görtz'schen Palais einen Abstecher zu Hellweges am Neuen Wandrahm machte. Christian hatte eine Verabredung mit Adolph Godeffroy, nein, Vertraulichkeiten gebe es nicht zu besprechen, es handele sich lediglich um eine Form der Kontaktpflege. Als er merkte, dass Hendrik sich zierte, hatte er ihn aufgefordert, einfach dazuzustoßen, sicherlich würde sich im Anschluss auch eine Möglichkeit ergeben, unter vier Augen zu sprechen.

Austern waren eine kostspielige Angelegenheit. Aber wer bei Cölln zu Mittag speiste, der brauchte in der Regel nicht auf den Taler zu achten. Vor zwei Jahren hatte die Familie Cölln, die schon seit längerem eine Austernhandlung betrieb, die unmittelbare Nähe ihres Hauses zur Börse zum Anlass genommen, zusätzlich zum florierenden Handelsgeschäft auch eine Localität zu eröffnen. Die Rechnung war aufgegangen und die so genannten Austernstuben erfreuten sich gerade unter den Börsenhändlern eines guten Rufs.

Kurz nach zwölf bog Hendrik in den Dornbusch ein. Das alte Fachwerkhaus an der Ecke Brodschrangen gab keinen Hinweis darauf, was sich hinter der Fassade abspielte. Böse Zungen behaupteten, hier würden mehr Geschäfte abgeschlossen und Wechsel über den Tisch gereicht, würden mehr Mark Banco ihren Besitzer wechseln als in der Börse selbst. Ganz ohne Grund kam ein Gerücht niemals auf: Offensichtlich boten die kulinarischen Genüsse das richtige Ambiente für schwierige, hin und wieder wohl auch für dubiose Geschäftsabschlüsse.

Christian saß mit Adolph Godeffroy in einer der séparéeartigen Nischen im hinteren Teil der Räumlichkeiten. Allem Anschein nach hatten die beiden noch nichts zu sich genommen und warteten darauf, eine Bestellung aufgeben zu können. «Herr Commissarius, ich hoffe, es führt Sie kein dienstliches Anliegen zu uns!», begrüßte Adolph Godeffroy Hendrik und bedachte ihn mit einem verschmitzten Lächeln.

«Nur wenn er Uniform trägt», warf Christian ein, bevor Hendrik Gelegenheit zur Antwort hatte, und rückte auffordernd einen Stuhl vom Tisch ab.

Hendrik verkniff sich jeden Kommentar. Jeder der ihn kannte, wusste, dass der Commissarius im Gegensatz zum Bürgermilitär schon lange keinen Uniformrock mehr trug. Godeffroy selbst war Rittmeister der Bürgermilitärkavallerie und trug seine Uniform bei offiziellen Anlässen, wie Hendrik wusste, mit Würde und Stolz. Adolph Godeffroy, langjähriger Präses der Commerzdeputation, Gründungsmitglied der Hapag und seit vier Jahren deren Direktor, bekleidete inzwischen so viele Ämter, dass niemand mehr so recht wusste, welchen Bestrebungen er positiv und welchen er ablehnend ge-

genüberstand. Als vor zwei Jahren die neue Verfassung verkündet worden war, hatte man ihn zur Entlastung des Plenums der Bürgerschaft sofort in den Bürgerausschuss gewählt; er hielt engen Kontakt zu Johannes Versmann, dem damaligen Bürgerschaftspräsidenten und nunmehrigen Senator. Godeffroy war im gleichen Alter wie Hellwege und damit gut zehn Jahre jünger als Hendrik.

«Gäbe es Grund für eine Razzia? Ich hoffe, die Herren haben nicht auf mich gewartet», entgegnete Hendrik mit fragendem Unterton, nachdem er Godeffroy die Hand geschüttelt hatte.

«Nehmen Sie blaue Austern auf Rumpsteak», empfahl Godeffroy, setzte sich wieder und winkte die Bedienung heran.

Die Preise waren gepfeffert, wie Hendrik der aushängenden Tafel entnehmen konnte. Er orderte eine Portion Krabben mit Rührei.

Godeffroy lehnte sich zurück und leckte genüsslich an einer schlanken Zigarre. «Wir waren bei zehntausend Mark Banco stehen geblieben, mein Lieber – den Namen des Bootes wirst du bestimmen können.»

«Oh nein!» Christian schüttelte energisch den Kopf. «Ich werde mir kein Denkmal setzen. Du tust, als hätte ich bereits zugestimmt.» Er wandte sich Hendrik zu und erklärte: «Er hat im letzten Jahr einen Verein ins Leben gerufen, der es sich zum Ziel gesetzt hat, Schiffbrüchige entlang der Küste zu retten.»

Hendrik nickte Godeffroy anerkennend zu.

«Und nun», fügte Christian mit gespielter Leidensmiene hinzu, «will Herr Godeffroy mir die Unterstützung des Vereins nahe legen und versucht, mir das Geld aus der Tasche zu ziehen.»

«Der Verein war eine Notwendigkeit», erklärte Godeffroy und entzündete ein langes Streichholz. Langsam drehte er die Zigarrenspitze in der Flamme. «Ich weiß, du wirst zustimmen. Es ist keine Patenschaft. Du kommst nur für die Anschaffungskosten des Bootes auf.» Er paffte einige Rauchkringel in Christians Richtung. «Die Männer verzichten auf eine Heuer. Es sind bereits über hundert Freiwillige, die sich gemeldet haben. Sie werden drei Tage und drei Nächte je Monat Wache haben. Die Station Wittenberge hat sich bewährt, und wir werden sechs weitere Stationen entlang des Stroms aufbauen. Bremen wird mitziehen, der Norddeutsche Lloyd wird weitere sechs Stationen finanzieren. Außerdem stehe ich in Verhandlung mit Cuxhaven für den Bereich Elbmündung und Gelbsand. Die Kapitäne haben mir dargelegt, dass die Untiefen am Scharhörnriff und das falsche Tief unter der Süderpiep die größten Gefahren darstellen. Mit sechs Mann an den Riemen braucht ein Boot bei schwerer See immer noch mehr als vier Stunden bis zum Riff.»

«Eine gefährliche Arbeit», bemerkte Hendrik, und Adolph Godeffroy nickte. «Sehr gefährlich!»

«Und was», fragte Christian, «geschieht mit den Familien? Wer versorgt die Angehörigen der Männer, die mit ihrem Boot nicht in den Hafen zurückkehren? Dann heißt es am Ende, wir schicken die Männer in den Ehrentod und überlassen deren Familien ihrem Schicksal ...»

«Da du *wir* sagst, darf ich annehmen, dass du sozusagen mit im Boot bist!» Godeffroy paffte zufrieden einen großen Kringel.

Christian ließ sich nicht ablenken. «Es ergibt sich eine moralische Verpflichtung.»

«Das wird der Verein tragen.» Godeffroy schob Hendrik eine Zigarrenkiste über den Tisch und öffnete auffordernd den Deckel. «Ich habe die feste Zusage von Johann Schröder. Sein Bankhaus sichert dem Verein einen zinslosen Kredit von fünfzigtausend Mark Banco über zehn Jahre.»

Hendrik entnahm zögernd eine Zigarre und legte sie beiseite.

«Was belieben die Herren zu trinken?» Das junge Mädchen – Hendrik nahm an, es war die Tochter des Hauses – balancierte die drei Teller geschickt an den Stühlen vorbei auf den Tisch.

«Dazu hätten wir gerne eine Karaffe vom kühlen Muskat.» Christian blickte fragend in die Runde, ob jemand Einspruch erhob, aber Godeffroy und Hendrik nickten einmütig. «Fünfzigtausend», wiederholte er. «Na bitte – das sollte doch reichen.»

«Ich denke an ein größeres Boot.» Auch Godeffroy legte die Zigarre beiseite, träufelte etwas Zitronensaft auf eine Auster und schnitt sich eine Scheibe Fleisch ab. «Sturmfest und mit Dampfmaschine, ein Schiff, das vor der Flussmündung patrouilliert. Ich habe diese Idee im Verwaltungsrat der Seefahrtschule angesprochen und nur Zustimmung geerntet. Der Gedanke ist der, dass sich die zukünftigen Kapitäne verpflichten müssen, eine Zeit lang unentgeltlich für den Verein auf Fahrt zu gehen – gegen eine gewisse Entschädigung, versteht sich.»

«Eine gute Idee», meinte Christian. «Aber warum rekrutierst du die Kapitäne nicht von den Hapag-Schiffen? Eure Kapitäne haben doch schon Erfahrung mit Dampf- und Schraubenschiffen. Oder denkst du an einen Schaufelradantrieb?»

«Ein solches Vorhaben würde ich vor den Aktionären nicht ausreichend begründen können. Die Kapitäne der Hapag verdienen gut, zu gut, wie einige Aktionäre sagen. Wir haben keinen Mann zu viel und man würde mir unnötige Ausgaben vorwerfen. Und was den Antrieb betrifft, Schaufelräder hätten zwar den Vorteil des geringeren Tiefgangs, was an der Küste natürlich wünschenswert ist, aber sie haben sich in schwerer See als nicht sehr stabil erwiesen. Und wie man sich vorstellen kann, werden die Rettungsschiffe nicht bei Sonnenschein und ruhiger See auslaufen. Die großen Havarien vor der Küste betreffen in erster Linie Segler, die bei Sturm aus dem Ruder laufen, Mastbruch erleiden oder durch verrutschte Ladung in Gefahr geraten. Segler havarieren fast ausschließlich bei schwerer See. Wann kommt es denn schon mal vor, dass ein angetrunkener Steuermann oder ein Kapitän in Unkenntnis der hiesigen Verhältnisse sein Schiff bei ruhiger See so sehr aus der Fahrrinne steuert, dass es selbst bei auflaufendem Wasser nicht wieder flottgemacht werden könnte? Außerdem versteht sich der Verein nicht als Bergungsunternehmen, sondern hat sich der Rettung von Menschenleben verschrieben.»

«Jedenfalls würden auch die großen Reedereien davon profitieren ...»

«Wenn du auf die Hapag anspielst, wir fahren im Linienverkehr fast ausschließlich unter Dampf. Havarien sind selten – in den letzten Jahren haben wir nur auf hoher See Schiffe verloren. Aber außer dem Lloyd stechen immer noch mehr Reeder mit Seglern als mit Dampfschiffen in See. Hertz, Sloman ...»

«... die Schiffe deines Bruders», ergänzte Christian maliziös.

«Natürlich hofft der Verein auf großzügige Unterstützung von Seiten der Reeder und Kaufleute. Es wird aber nicht so sein, dass wir nach geglückter Rettung die entsprechenden Handelshäuser mit dem Klingelbeutel in der Hand aufsuchen. Cesar hat sich im Übrigen bereit erklärt, den Bau eines solchen Schiffes zu unterstützen; er wird kostenfrei Platz und Helgen auf den Reiherstieg-Werften zur Verfügung stellen, dies allerdings frühestens nach dem Umzug der Werft im nächsten Jahr.»

«Dann habe ich ja noch ein wenig Bedenkzeit», sagte Christian grinsend. «Aber deinen Äußerungen entnehme ich, dass ihr schon genaue Vorstellungen habt, was die Konstruktion betrifft?»

«Nach den positiven Erfahrungen mit der Alina sehen die Ingenieure auf der Werft meines Bruders keine Schwierigkeiten. Natürlich wird ein solches Rettungsschiff nicht mit einem Alsterdampfer vergleichbar sein. Aber eine Rumpfkonstruktion aus Stahl wäre, was die Stabilität betrifft, von Vorteil. Die Maschine wird entsprechend stark ausfallen, und die Manövrierbarkeit muss letztlich auch unter schwersten Verhältnissen gewährleistet sein.» Godeffroy dekorierte das letzte Stück Fleisch auf seinem Teller mit einer Auster und schob die Gabel genüsslich in den Mundwinkel. «Vorzüglich», urteilte er und warf einen geschäftig-flüchtigen Blick auf seine Taschenuhr. «So, meine Herren ...» Während er sein Weinglas leerte, machte er schon Anstalten, sich zu erheben. «Sie entschuldigen mich, aber die Pflicht ruft. Ich habe noch eine Sitzung des Deutschen Nationalvereins zu leiten – mein lieber Christian», er schaute Hellwege eindringlich an und rückte sein Halstuch zurecht, «ich rechne mit dir.»

Nachdem sich Adolph Godeffroy verabschiedet hatte, bestellte Christian eine weitere Karaffe Wein und schob den noch halb vollen Teller von sich. «Eigentlich mag ich die glibbrigen Dinger gar nicht», gestand er. «Aber Cölln traut sich nicht, sie Godeffroy in Rechnung zu stellen, schließlich transportiert er die Austern auf Schiffen der Familie. Seitdem Adolph das spitzgekriegt hat, kommt er häufiger und bestellt ausschließlich Austern.»

«Na, der hat's nötig …»

Christian lächelte. «Du weißt doch: Von nichts kommt nichts. Reichtum und Geiz liegen häufig dicht beieinander.»

«Da kann ich nun gar nicht mitreden. Möchtest du?» Hendrik deutete auf seinen Teller, der noch üppig mit Krabben gefüllt war. «Ich hoffe doch sehr, die kauft Cölln bei den hiesigen Krabbenfischern.»

Christian lehnte dankend ab. «Du warst ja sehr zurückhaltend – was ist los?»

«Wir haben einen Toten. Der Mann wurde vorgestern Nacht erschlagen.»

«Am Sandthor-Becken. Ja, ich habe davon gehört.» Christian nickte bedächtig. «So etwas verbreitet sich schnell – erschlagen, sagst du? Entsetzlich. Hast du schon eine Spur?»

«Der Mann kam aus England. Ein Ingenieur, der heute auf der Baustelle am Sandthor einen Dampfkran vorführen sollte.» Hendrik spülte die letzte Krabbe mit einem großen Schluck Wein herunter. «Raubmord scheidet aus», sagte er und griff nach der Zigarre. «Den Kran haben wir sichergestellt. Ich habe den Verdacht, dass jemand die Vorführung des Krans um jeden Preis verhindern wollte. Direktor Dalmann – er ist der Auftraggeber, der die Vorführung arrangiert hat – verhandelt auch mit anderen Herstellern. Auf den ersten Blick ergibt sich daraus ein Motiv für ein Konkurrenzunternehmen. Andererseits ...» Nach einigen Zügen verschwand Hendriks Gesicht für einen Augenblick in einer Rauchwolke. «Andererseits – die Londoner Firma schickt natürlich einen Ersatzmann. Das bedeutet, die Vorführung verschiebt sich lediglich um einige Tage, höchstens zwei Wochen. Auf jeden Fall zu wenig, um Dalmanns endgültige Entscheidung zu beeinflussen. Einer meiner Inspektoren prüft die Angelegenheit zwar trotzdem, außerdem lassen wir den Kran von einem Fachmann zusammenbauen, um festzustellen, ob es sich bei dem Modell um etwas irgendwie Besonderes handelt, aber ich habe noch einen anderen Verdacht ...»

«Nämlich?»

«Jemand will Zeit gewinnen.»

«Du sprichst in Rätseln», entgegnete Christian. «Erst sagst du, der Zeitraum bis zur nächsten Vorführung ist zu gering, um Dalmanns Entscheidung zu beeinflussen, und jetzt ...»

«Nein, nein!», unterbrach Hendrik. «Du verstehst nicht! Was ich meine, ist, dass es möglicherweise für bestimmte Leute einen Grund gibt, zur Zeit jegliche Vorführung zu verhindern.»

«Ich verstehe immer noch nicht», gestand Christian.

«Ich glaube, es traf diesen Engländer nur zufällig.»

«Das hieße dann, wenn zum gleichen Zeitpunkt ein Mitarbeiter eines anderen Herstellers vor Ort gewesen wäre ...»

«... dann hätte es ihn getroffen, ja!»

«Aber wer könnte ein Interesse daran haben, Kranvorführungen überhaupt zu verhindern? Es gibt keine Alternative zu Kränen.»

KLÖCKNER CHEMIE

6285888

6043037

08008238

KLÖCKNER CHEMICALS
Your Reliable Partner

«Da hast du Recht», bestätigte Hendrik. «Ich sprach ja auch davon, dass vielleicht jemand Zeit gewinnen will.» Der Commissarius beugte sich diskret vor und fuhr mit gesenkter Stimme fort: «Wie mir zu Ohren kam, stehen zur Zeit gewisse Entscheidungen bezüglich des weiteren Hafenausbaus an. Ich nehme wohl zu Recht an, dass es dabei recht unterschiedliche Interessen gibt?»

«Es tauchen immer wieder neue Gerüchte auf», sagte Christian.

«Vielleicht soll nur ein abschließender Bericht, die Begutachtung durch einen Ausschuss oder etwas Ähnliches hinausgezögert werden, bis irgendeine ganz bestimmte Entscheidung für oder gegen etwas gefallen ist», spekulierte Hendrik.

Christian blickte ihn skeptisch an. «Genauere Vorstellungen hast du nicht?»

«Das ist ja mein Problem. Ich weiß nur, was in der Presse diskutiert wird. Und bestimmte Dinge erfährt die Öffentlichkeit immer erst dann, wenn die Würfel bereits gefallen sind.»

«Mag sein. Aber wie kann ich dir da helfen?»

«Ich brauche detaillierte Kenntnis von den Dingen, die zur Zeit hinter verschlossener Tür ausgehandelt werden. Was geplant ist und was für Entscheidungen in den nächsten Tagen oder Wochen anstehen. Kurzum: Ich brauche einen Blick hinter die Kulissen, um beurteilen zu können, ob jemand ein Motiv haben könnte.»

«Gut, dass du das nicht im Beisein von Godeffroy angesprochen hast», sagte Christian und lächelte dünn. «Nicht, dass ich mir Adolph Godeffroy mit einem Totschläger in der Hand vorstellen könnte, aber soweit mir bekannt ist, hat er noch im Frühjahr versucht, Teile des

Großen Grasbrooks für die Hapag zu erwerben. Ich hab ja eigentlich nichts mit den dortigen Vorgängen zu schaffen, aber im Freundeskreis erfährt man eben doch manchmal Dinge …»

«Die Hapag will also einen eigenen Hafen?», fragte Hendrik interessiert.

«Die Schiffe werden ja immer größer und haben dadurch auch immer mehr Tiefgang», erklärte Christian. «Wie es aussieht, werden die Dampfschiffe der Hapag nach Fertigstellung vornehmlich den Sandthor-Hafen ansteuern. Aber das ist es nicht allein. Zur Zeit fährt die Hapag noch – wie andere Reedereien auch – mit gemischter Ladung. Darin liegt wohl auch einer der Gründe, warum die Passagen nach Übersee immer noch konkurrenzlos sind. Aber wenn das Geschäft mit den Auswanderern weiter zunimmt, werden die Reeder irgendwann Schiffe bauen, die ausschließlich für den Passagiertransport vorgesehen sind. Und was sollen solche Schiffe in einem Hafenbecken, das vorrangig für den Umschlag von Frachtgütern konzipiert wurde?»

«Die Ware Mensch wird selten mit Kränen verladen», bemerkte Hendrik sarkastisch und wollte gerade auf die teils katastrophalen Bedingungen an Bord der Auswandererschiffe zu sprechen kommen, als sich plötzlich seine Miene verfinsterte.

«Nein, nicht was du denkst!», fiel Christian seinem Freund ins Wort, bevor Hendrik seinen Verdacht aussprechen konnte. «Man möchte ein weiteres Hafenbecken und im direkten Anschluss ein Gelände, auf dem man die Auswanderer einquartieren kann. Ich hatte vor zwei Monaten ein vertrauliches Gespräch mit Wilhelm Amsinck – Vorstandsmitglied der Hapag –, und auch Merck hat so etwas angedeutet.»

«Genau das ist es», sagte Hendrik, der immer noch seinen Gedanken nachhing. «Ich wollte dich fragen, ob du ein Gespräch mit Merck arrangieren könntest.»

«Mit Carl? Ja, müsste zu machen sein.»

«Dalmann verhandelt doch gerade mit Merck und der Direktion der Berliner Eisenbahn-Gesellschaft wegen der Quaianlagen …»

Christian hob schnell die Hand und berührte dann mit der Fingerspitze die Lippen. Die andere Hand legte er an die Ohrmuschel und deutete in Richtung Nachbartisch, von dem sie nur durch einen dünnen hölzernen Paravent getrennt waren. Hendrik rückte gehorsam näher an seinen Freund heran.

«Das ist eine ganz delikate Angelegenheit», murmelte Christian. «Egal ob Reederei oder Eisenbahngesellschaft – Gott sei Dank ziert sich der Senat bislang noch, städtischen Boden aus der Hand zu geben und dadurch Einfluss zu verlieren. Es heißt, ein solcher Vorgang widerspräche den bisherigen Gepflogenheiten, und wenn du mich fragst, in diesem Fall wäre es ausnahmsweise töricht, die Tradition aufzugeben. Stell dir vor, nicht Senat und Bürgerschaft würden über wirtschaftliche Belange entscheiden, welche die Stadt betreffen, sondern Aktionäre. Das wäre die reinste Katastrophe, denn durch Ansiedlung und Ausbau eines Betriebes in diesen Dimensionen gäbe man den entsprechenden Gesellschaften ein ungeheures Druckmittel in die Hand.

Noch lehnt der Senat ein solches Vorhaben kategorisch ab, aber es mehren sich die Stimmen der Befürworter, vor allem in den Reihen der Liberalen. Es ist natürlich verlockend, für anstehende und notwendige Investitionen – wie eben den weiteren Ausbau des Hafens – das Stadtsäckel nicht öffnen zu müssen …»

«Vor allem nicht, wenn das Säckel leer ist», fügte Hendrik hinzu.

«Genau», sagte Christian. «Momentan versuchen die Gesellschaften einzelne Senatoren und Entscheidungsträger dadurch umzustimmen, dass man ihnen leitende Positionen in den Kontrollorganen der jeweiligen Unternehmen anbietet. Man wickelt das Knäuel sozusagen von hinten auf, denn was passiert, wenn Senatoren der Stadt gleichzeitig Interessen eines großen Wirtschaftsunternehmens vertreten?»

«Genau das möchte ich herausfinden», entgegnete Hendrik, und dann diskutierten die Freunde noch eine geraume Zeit über die Wirtschaftspolitik der Stadt. Zum Abschluss ermahnte Christian Hendrik eindringlich, er solle aufpassen, dass er sich nicht die Finger verbrenne. Natürlich wolle er ihn unterstützen, wo und wie immer es ihm möglich sei, und ein gemeinsames Treffen mit Syndicus Merck würde er in den nächsten Tagen arrangieren. Nachdem man sich verabschiedet hatte, blieb Hendrik noch eine Zeit lang sitzen und bestellte sich einen starken Mokka. Der merkwürdige Beigeschmack, mit dem er Cöllns Austernstuben nach einer knappen Stunde verließ, rührte allerdings weder vom Essen her noch vom Kaffee oder der Zigarre.

~ Auf der Werft ~

Der Elbstrom war ruhig an diesem Mittag. Die seichten Wellen, durch die Jonas Dinklage das schmale Boot ruderte, rührten nur von der Strömung des Flusses her. Es war Gezeitenwechsel, das auflaufende und das ablaufende Wasser spielten miteinander und bildete stellenweise kleine Küsel, als wolle man sich die Hand geben. Sören lehnte sich über die Bordwand und tauchte die Finger ins Wasser. Der Eindruck täuschte: die Kraft des Flusses war ungebrochen. Der Sog der Strömung war so stark, dass selbst ein guter Schwimmer nicht vermocht hätte, dagegen anzuschwimmen.

Eine diesige Wolkenschicht bedeckte den Himmel. Kein Lüftchen regte sich und es war drückend und heiß, als kündige sich das von allen Bewohnern der Stadt lang ersehnte Gewitter an. Seit einer Woche hatte es sich auch nachts kaum abgekühlt, die Luft in der Stadt war staubig und in den hafennahen Gebieten vermischte sich der unausstehliche Geruch von muttigem Brackwasser mit dem der Kloake, die aus den Fleeten in den Strom floß. Obwohl es seit geraumer Zeit eine Kanalisation in der Stadt gab, ein funktionierendes Zu- und Abwassersystem, hielt ein Großteil der Bevölkerung nach wie vor an der Sitte fest, Unrat, Eimer voller Essensreste und selbst die Nachttöpfe aus den Fenstern der Häuser direkt in die Fleete zu entleeren.

Die großen Segler lagen fest und ihre Kapitäne blickten neidisch auf die Rauchschwaden der Dampfschiffe, die sich ganz unabhängig von den Windverhältnissen ihren Weg durch das Wasser des Hafens bahnten.

Auf der Mitte des Stroms schaute sich Sören um und betrachtete die Silhouette der Stadt. Der Anblick war eine Pracht – von hier aus konnte man bereits den Eindruck haben, man würde in See stechen und auf große Fahrt gehen. Die wenigen hundert Meter, die der Kleine Grasbrook von seinem großen Bruder am nördlichen Ufer entfernt lag, reichten aus.

Als die Enden der Riemen den Grund berührten, zog sie Jonas durch die hölzernen Dolden in der Mitte des Bootes zusammen und sprang mit einem geschickten Satz ins Wasser. Mit einigen kräftigen Zügen zog er das Boot über die Rundhölzer am Ufer und sicherte es mit einem dicken Hanftampen an einem Ringeisen. Sein Blick suchte Sörens Aufmerksamkeit. «Na, wie nennt man den?»

«Rundtörn mit zwei halben Schlägen», antwortete Sören gelangweilt. Er hatte sich nur schwer vom Anblick der Stadt losreißen können. Es wurde Zeit, fand er, dass Jonas ihm endlich andere Dinge beibrachte als langweilige Knoten. Die meisten von ihnen beherrschte Sören längst mit geschlossenen Augen, und den Palstek konnte er sogar hinter dem Rücken schlagen.

Die Werft von Thorwald Larssen, auf der Jonas Dinklage eine Anstellung als Erster Schiffszimmerer hatte, war einer der größeren Schiffbaubetriebe am südlichen Elbufer. Larssen hatte immerhin drei Hellinge, das waren die mit starken Bohlen belegten Pfahl- und Balkengerüste, auf denen die Schiffe beim Bau standen und von deren schräg gegen das Wasser abfallender Ebene sie nach Fertigstellung in ihr Element herunterrutschten. Die meisten Werften hatten nur zwei Hellinge, eine für die Neubauten und eine zur Reparatur, auf die die Schiffe mit Hilfe großer Winden gezogen wurden.

Bis vor drei Jahren hatte auch Larssens Werft ihren Standort auf dem Großen Grasbrook gehabt, aber nachdem die Stadt beschlossen hatte, das Areal nach und nach für den Ausbau des Hafens und für die Anlage großer Hafenbecken freizuräumen, hatte Larssen das Grundstück am südlichen Ufer erworben. Inzwischen waren mehrere Werften hier ansässig. Der Grund lag vor allem darin, dass immer wieder Gerüchte um bevorstehende Enteignungen auf dem Großen Grasbrook die Runde machten. Spätestens nach dem Beginn der Bauarbeiten am Sandthor-Becken war es absehbar, dass dort für Werften zukünftig kein Platz mehr sein würde. Nur wer es sich leisten konnte, verlegte seinen Betrieb jetzt noch auf das jenseitige Elbufer, denn natürlich waren die Grundstückspreise sofort in die Höhe geschnellt. Zudem hatten sich zwischen Schumacher Wärder und Steinwärder aber auch schon so viele Schiffbaubetriebe angesiedelt, dass hier der Platz ebenfalls langsam knapp wurde. Die Grundstücke der einzelnen Holzhäfen grenzten teilweise schon aneinander, und für den Transport der Arbeiter hatte man vor einem Jahr sogar eine eigene Fähre eingerichtet.

«Was soll ich mit Schienen?», unkte der alte Larssen immer, wenn es um die Entwicklung auf dem Großen Grasbrook ging. Der Transport auf dem Landweg war für ihn gänzlich uninteressant. Er war Schiffbauer in dritter Generation. Seine Vorfahren stammten zwar aus Schweden, aber geboren war er hier in Hamburg. Das Land der endlosen Wälder und Seen hatte er nach eigenem Bekunden niemals gesehen und würde es wohl auch nicht mehr zu sehen bekommen. Er ging auf die siebzig zu und konnte schon seit längerem nicht mehr selbst Hand anlegen, auch weil es um sein Augenlicht schlecht bestellt war. Da er keine Kinder und anscheinend auch sonst keine Verwandten mehr hatte, machte sich so mancher auf der Werft Gedanken, was einmal aus dem Betrieb werden sollte, wenn Thorwald Larssen gestorben war. Nur Larssen selbst, so schien es, machte sich darum keine Sorgen. Sorgen bereitete ihm, der ausschließlich Holzschiffe fertigte, die Entwicklung im Schiffbau, denn da hieß es neuerdings: Eisen statt Holz.

«Wenn du es dir zutraust, zeige ich dir heute, wie man mit dem Zugeisen arbeitet.» Jonas Dinklage warf einen Blick auf die Osthelling. Bis auf einige Stapelblöcke war das Gerüst leer. Die Arbeiter hatten sich nasse Tücher in den Nacken gelegt und knieten auf mehreren Holzbrettern, die man wie einen Teppich auf dem Fußboden ausgebreitet hatte. Sie schnitten die Mallen, Schablonen aus dünnem Holz, die sie den Schiffszimmerern als Vorlage weiterreichten. Die Zeichnung der Konstruktionshölzer war zuvor vom Papier in Originalgröße auf die Bretter am Boden übertragen worden.

Sören erkannte an den Mallen den Umriss des Vorderstevens. Er hatte beachtliche Ausmaße, was auf den Bau eines größeren Schiffes hinwies. Auch die Schablonen der Rippen-, Knie- und Krummhölzer waren bereits fertig. Nach ihren Maßen würde man das Gerippe des Schiffes auf der Helling anlegen. Fast zweihundert Fuß Bohlenstrecke stand den Arbeitern zur Verfügung, und wie es aussah, würde man die Länge für den Neubau annähernd ausnutzen.

Jonas deutete auf eine Reihe von Werkzeugen, die an einer Holzwand hinter dem Arbeiterschuppen hingen.

«Such dir ein Eisen, das du gut führen kannst. Nicht zu klein, ungefähr eine Elle. Wir machen uns an den hinteren Binnensteven.» Er selbst nahm sich ein mächtiges Zugeisen vom Haken und griff in einen großen mit Wasser gefüllten Bottich. «Die werden wir brauchen!» Sören tat es ihm nach und fischte ebenfalls ein nasses Tuch aus der Tonne, das er sich, nachdem er sein Hemd ausgezogen hatte, sogleich über die Schultern legte.

Der Binnensteven war in Rohform gesägt und lag auf zwei großen Klötzen zur weiteren Bearbeitung bereit. Jonas setzte sich rittlings darauf und wies Sören an, sich ihm gegenüber zu setzen.

«Wenn du den Bogen vor dir nach oben gerichtet siehst», er zeigte auf die Spitze des Stevens, «dann ziehst du das Eisen kräftig und gleichmäßig zu dir hin.» Er nahm die Holzgriffe des Zugeisens in beide Hände und führte die Klinge über das Holz. «Nicht zu schnell, sonst schälst du zu tief. Kontrolliere häufiger die Kurve an der Seite des Stevens, dort ist sie aufgezeichnet! Wenn du keine Führung mehr hast, kann es passieren, dass du abrutschst, und dann ...» – Jonas deutete zwischen seine Beine und grinste Sören an: «Weg sind sie!» Sören musste lachen. «Also beuge dich stets weit vor, so kannst du auch eine längere Bahn schälen.» Jonas zog das Eisen und hobelte eine dünne, fast durchsichtige Schicht Holz herunter. Es sah spielerisch aus, aber nachdem Jonas die Bewegung drei-, viermal wiederholt hatte, standen ihm bereits Schweißperlen auf der Stirn. «Wenn die Wölbung vor dir nach unten geht», er drehte sich um und deutete auf den hinteren Anschlag, «dann wendest du das Eisen und schiebst es von dir weg!» Auch diesen Arbeitsgang führte Jonas mit scheinbar spielerischer Leichtigkeit aus. «Am besten geht's, wenn du auf dem Holz nachrutschst, dann läufst du nicht Gefahr, am Ende mit dem Kinn aufzusetzen. Boing!»

Sören lachte erneut auf. Er mochte Jonas' lockere Art, mit der er auf Gefahren bei der Arbeit hinwies. Zudem konnte er unglaubliche Grimassen schneiden, was dem Ganzen vollends die Ernsthaftigkeit nahm. Trotzdem zweifelte Sören nicht eine Sekunde, dass es sich bei dieser Arbeit um eine schwierige und äußerst anstrengende Tätigkeit handelte.

«Ich schau ab und zu mal nach dem Rechten – und wenn irgendwas ist, ich bin hinten und kümmere mich um die Fertigung der Klüshölzer.»

Sören nahm das Zugeisen, setzte sich auf den Steven und begutachtete die eiserne Schneide. Die ersten Versuche waren zaghaft und das Ergebnis wenig befriedigend. Aber nach einer guten Viertelstunde hatte er den Bogen raus und die Späne lösten sich in längeren Bahnen. Ungefähr eine Stunde bearbeitete Sören den Steven, und er fand das Ergebnis seiner Tätigkeit am Ende ganz respektabel, aber die Schwielen an seinen Händen zwangen ihn zu immer längeren Pausen. So hatte er Zeit, die Arbeiten auf den Hellingen genauer in Augenschein zu nehmen. Er hatte Glück: Es kam selten vor, dass sich die drei Abschnitte, in die der Bau eines Schiffes eingeteilt war, zu gleicher Zeit auf einer Werft beobachten ließen. Zuerst wurde das Schiff in Spanten gesetzt, dann folgte die Anfertigung der äußeren und schließlich die der inneren Verzimmerung. Hier bei Larssen entstanden gerade drei Schiffe. Unter dem mittleren Balkengerüst standen die Arbeiter kurz vor Beginn der Beplankung außenbords. Ohr- und Klüshölzer, Heckstützen und Kielschwein waren bereits angebracht, jetzt ging man an die Anfertigung des Galjons, der Kranbalken und der Ruderanlage. Auf der östlich gelegenen Helling war man bereits beim Setzen der Decksbalken und Balkweger, andere Arbeiter befestigten Bug- und Heckbänder. In ein oder zwei Wochen würde man den Rumpf zu Wasser lassen können, und dann würde hier ein weiterer Neubau in Spanten gesetzt werden.

Sören hatte alle Abläufe auf der Werft schon oft aufmerksam verfolgt. Neu war, dass man ihn selbst Hand anlegen ließ. Aber was hieß *man*? Die meisten Zimmerleute und Arbeiter beobachteten Sörens Anwesenheit mit Skepsis. Zwar wagten sie nicht, Einspruch zu erheben, schließlich galt er als Zögling von Jonas Dinklage, und Jonas hatte seit einem Jahr seinen Meisterbrief in der Tasche. Aber man ging ihm, wo man konnte, aus dem Weg. Vielleicht hatte es sich rumgesprochen, wer sein Vater war? Larssen beschäftigte auch viele Tagelöhner und Gelegenheitsarbeiter, von denen der eine oder andere um die Polizei lieber einen großen Bogen machte.

Die Hitze war fast unerträglich. Immer häufiger musste Sören die Arbeit unterbrechen und sich aus dem Trog ein neues Tuch holen. Zumindest für kurze Zeit kühlte der nasse Stoff die Haut, bevor er sich erneut mit Schweiß vollsog. An der Tonne konnte er auch seine geschwollenen Handflächen kühlen – aber trinken mochte Sören das Wasser nicht. Die meisten Zimmerleute tauchten einfach den Kopf kurz unter Wasser, um sich zu erfrischen, auf der Oberfläche schwammen büschelweise Haare. Sören wischte sich den Schweiß von der Stirn und hängte sein Zugeisen an den Haken. Die Pumpe mit Frischwasser stand etwas abseits hinter der Westhelling, und man musste an den Bretterbuden der

Zeichner und an Larssens Comptoir vorbei, um zu ihr zu gelangen.

Sören passierte gerade die hölzerne Stiege hinter dem Comptoir, die zu einer schmalen Plattform auf einer Anhöhe des Werftgeländes führte, als er die Stimme des alten Larssen vernahm. Es war an sich nichts Ungewöhnliches daran, aber die Worte, die er hörte, ließen Sören in seiner Bewegung verharren:

«Neuerdings treiben sich da auch Russen herum!»

Larssen sprach mit erregter Stimme, und es war unverkennbar Jonas, mit dem er sprach. Sören schaute sich um, ob ihn jemand gesehen hatte, dann ging er unter der Stiege in Deckung und presste sich gegen die hölzerne Wand des Schuppens.

«Da passiert schon so einiges», hörte er Larssen mit gedämpfter Stimme hinzufügen.

«Das ist doch kein Grund zur Aufregung», antwortete Jonas ihm ruhig. «Godeffroy hat Flussdampfer und zwei Bugsierboote nach Russland geliefert, das ist dir doch bekannt. Wahrscheinlich will man die hiesigen Produktionsstätten begutachten. Vielleicht hat er auch billige Arbeitskräfte unter den Auswanderern gefunden. Da kommen doch immer mehr aus Russland.»

«Und deswegen baut er ihnen Unterkünfte auf der Baustelle? Die Baracken stehen gegenüber von Slomans Dock – eine richtige kleine Siedlung ist das schon. Außerdem geht es hier nicht um Dampfschlepper. Godeffroy errichtet doch nicht fünf Hellinge, um Schlepper zu bauen.»

«Ich verstehe nicht, was du dich so aufregst. Die Werft ist doch noch gar nicht in Betrieb.»

«Hast du eine Ahnung!», polterte Larssen. «Gut, die Maschinenfabrik und die Gießerei sind noch in Bau, aber die Kesselschmiede raucht schon kräftig. Ich frage dich, was wollen Godeffroy und Beit dort bauen und was passiert dort jetzt schon? Vor allem in den Abendstunden geht es da zu wie in einem Taubenschlag.» Für einen Moment war Ruhe, dann fügte Larssen, dessen Stimme immer noch vor Erregung zitterte, hinzu: «Jörn Passen ist dort übrigens untergekommen.»

«Passen?!» Der Name schien nun auch Jonas aus der Ruhe zu bringen.

«Spaziert er doch neulich hier rein, sturzbetrunken, das kennen wir ja von ihm, und erzählt mir mit geschwellter Brust, den ausstehenden Lohn könne ich mir sonstwohin stecken, er arbeite jetzt für Godeffroy, und der hätte einen Riesenauftrag von den Preußen praktisch in der Tasche, da würden wir alle vor Neid erblassen. Ich habe ihn dann rausgeschmissen, weil er wieder anfangen wollte zu randalieren …»

«Mit Passen war es doch immer so», stöhnte Jonas. «Es ist gut, dass du dich von ihm getrennt hast.»

«Als Ingenieur war er kaum zu schlagen!», erwiderte Larssen.

«Aber er wollte unbedingt Stahlkonstruktionen machen. Nun ist er eben bei Godeffroy und Beit untergekommen. Und wenn schon! Godeffroy will Stahlschiffe bauen – da ist er doch genau richtig!»

«Sein Bruder wird Godeffroy die großen Aufträge von der Hapag schon zuschanzen», klagte Larssen.

«Ja, die Hapag – kennst du den neuesten Witz?», fragte Jonas. «Wofür steht Hapag? Antwort: *Haben Alle Passagiere Auch Geld*?» Als er merkte, dass Larssen allem Anschein nach nicht nach Witzen zu Mute war, fügte er hinzu: «Gegen eine solche Auftragsvergabe wirst du nichts unternehmen können. Aber die Frage ist doch vielmehr, ob sich die Reiherstieg-Werften gegen die englische Vormacht im Stahlbau behaupten können.»

«Weiß ich nicht – ich habe mit Stahlschiffen nichts am Hut.» Für einen Moment herrschte Schweigen. Schließlich meinte Larssen: «Ich bin der Sache dennoch nachgegangen, es ging mir einfach nicht aus dem Kopf, was Passen da erzählt hat. Luckmann ist mit dem kleinen Blohm drüben am Reiherstieg gewesen und hat sich ein bisschen umgesehen ...»

«Du meinst rumspioniert?», fragte Jonas.

«Wenn du es so nennen willst. Jedenfalls laufen da in den Abendstunden schon die Nieten- und Ketelklopper rum. Was sie dort genau machen, haben Luckmann und Blohm nicht rausbekommen, denn die eine Helling ist rundum mit einem Bretterverschlag gegen fremde Blicke abgeschirmt, und sonst gibt es bisher nur zwei kleinere Bootshäuser direkt am Wasser. Kann jedenfalls keine große Sache sein, meinten die beiden, die Bude hätte eine Länge von rund achtzig Fuß. Also, ein Dampfer paßt da nicht rein. Was aber wirklich komisch war: Vor dem Maschinenhaus hätten zwei große Droschken gestanden, und die Kutscher hätten preußische Uniformen angehabt. Irgendwas muss da im Busch sein, glaub mir. Wir sollten die Sache im Auge behalten.»

Sören, der in seinem Versteck kauerte und kaum zu atmen wagte, hörte plötzlich Schritte hinter einer der Bretterbuden näher kommen. Er duckte sich, aber dabei stieß er eine alte Petroleumlampe um, die auf einem Holzstapel hinter der Stiege gestanden hatte und mit Getöse zu Boden fiel. Die Stimmen im Comptoir verstummten sofort, und das Gesicht von Jonas Dinklage erschien in der Tür. Sören war noch rechtzeitig aus seinem Versteck herausgesprungen und stand nun, als wäre er gerade erst angekommen, neben der Stiege.

«Schon fertig?», fragte Jonas und blickte ihn freundlich lächelnd an.

«Fix und fertig!», antwortete Sören und streckte Jonas seine Hände entgegen, die voller Blasen waren.

«Schön, dass du dich um Nachwuchs kümmerst, Jonas.» Thorwald Larssen war hinzugetreten und stand in einigem Abstand neben ihnen. Wie stets hatte er seine Pfeife im Mundwinkel hängen, was ihm, zusammen mit dem schneeweißen Vollbart, das Aussehen eines gemütlichen Großvaters verlieh. Er musterte Sören und nickte anerkennend. «Wie mir Jonas berichtet, machst du dich schon ganz gut, und wir können immer einen tüchtigen Burschen wie dich gebrauchen.»

Jonas legte Sören die Hand auf die Schulter und gab ihm einen Klapps. «Na, dann woll'n wir mal sehen, was du angerichtet hast.»

Gemeinsam gingen sie zu den Böcken, auf denen der Steven lag, und betrachteten Sörens Werk.

«Naja, für'n Anfang», urteilte Jonas etwas geringschätzig, während er mit der flachen Hand über das Holz fuhr. «Gut, dass du an der Markierung aufgehört hast. Ist ganz schön anstrengend, was?»

Sören nickte. Seine Beine zitterten, und er versuchte es vor den beiden zu verbergen. Es war nicht die Anstrengung der Arbeit, nein, im Geiste ging er fieberhaft die Botschaft der Flaschenpost durch. «Ich mach Schluss für heute. Ich muss noch was für die Schule tun.»

«Wie kommst du rüber?», fragte Jonas. «Ich kann noch nicht Feierabend machen, ich werde hier noch eine ganze Weile gebraucht.»

Sören griff nach seinem Hemd und schüttelte den Staub ab. «Ich nehme die Fähre. Vielen Dank für heute!»

«Schon deine Hände!», rief ihm Jonas hinterher, aber Sören nahm es nicht mehr wahr. Den ganzen Weg zur Anlegestelle grübelte er über das nach, was er unter der Stiege gehört hatte, und versuchte, den Worten einen Sinn zu geben. Russen! Hier auf einer Schiffswerft. Uniformen! Nun gut, preußische und keine russischen, aber machte das einen Unterschied? Es stand für ihn außer Frage, dass es einen Zusammenhang gab zwischen der Flaschenpost und dem, was er gerade durch Zufall erfahren hatte. Der Weg zur Fähre führte den neuen Außendeich entlang. Sören blickte in Richtung Reiherstieg. Kleine Straße, großer Vogel, hatte Irina gesagt. Nur wenige hundert Meter trennten ihn von der Baustelle der Reiherstieg-Werften. Es war ein riesiges Gelände, aber einzelne Bauten und die aufragenden Gerüste der Helgen waren deutlich zu erkennen. Alles wirkte still und friedlich, vielleicht war es ja ganz einfach, sich die versprochene Belohnung zu verdienen. Er brauchte ja nur hinzugehen und nach Jurjew zu fragen. Sören beschloss, das Gelände genauer unter die Lupe zu nehmen, aber erst wollte er Martin einweihen. Die Geschichte fing an, spannend zu werden.

Natürlich hatte auch Hendrik das laute Hämmern und Klopfen vernommen, das ihm vom Hof her entgegenschlug, als er die Polizeistation an den Raboisen am Nachmittag betrat. Aber er hatte der ungewöhnlichen Geräuschkulisse zuerst keine besondere Aufmerksamkeit geschenkt. Erst die Tatsache, dass sich anscheinend die halbe Belegschaft der Wache auf dem Hof versammelt hatte und die Wachstube unbesetzt war, weckte sein Interesse. Er legte seine Unterlagen beiseite und ging ebenfalls hinaus auf den Hof, wo sich alles um Johannes Schütz versammelt hatte, der mit zwei Constablern und einer weiteren Person vor den Kisten mit dem Dampfkran stand. Sie hatten die Kisten mit Hilfe einer Brechstange aufgehebelt und waren gerade dabei, den Inhalt der Größe nach auf dem Boden zu sortieren. Es sah aus wie im Lager eines Alteisenhökers. Hendrik atmete tief durch, beschloss, die Contenance zu wahren, und mischte sich unter die Schaulustigen, die die Arbeit des Sortierens aufs Lebhafteste diskutierten.

«Darf ich mal fragen, was hier vor sich geht?» Hendriks Stimme war bei aller Gefasstheit so durchdringend, dass für einen Moment absolute Stille auf dem Hof herrschte. Hendrik hatte niemanden direkt angesprochen, und auch sein fragender Blick kreiste ohne Ziel durch die Menge. «Sind wir hier im Vorstadttheater, oder wo? Diejenigen Herrschaften, die noch nie einen Kran gesehen haben, mögen sich doch bitte Eintrittskarten vorne in der Wachstube lösen!» Die Ansammlung löste sich schnell auf. Auch die beiden Constabler legten die Brecheisen beiseite und zogen sich zurück.

Hendrik wandte sich Schütz zu. «Wenn ich geahnt hätte, dass das so einen Tumult gibt, hätte ich deinem Vorschlag nicht zugestimmt. Was versprechen wir uns eigentlich davon?» Er streckte dem Unbekannten, der neben Schütz stand, die Hand entgegen. «Und Sie sind?»

«Das ist Sprützenmeister Hannibal Moltrecht», stellte Schütz ihn vor.

«Moin!» Moltrecht zögerte, dem Commissarius seine ölverschmierte Hand zu reichen. «Sieht interessant aus, Ihr Kran.» Er wischte seine Finger an einem Lappen ab, aber sonderlich sauberer waren sie danach auch nicht.

«Naja, wenn Sie meinen. Wie lange werden Sie brauchen?»

Moltrecht blickte auf die Einzelteile, die im Hof verstreut herumlagen. «Tscha, mal sehen.» Er zuckte mit den Schultern. «'n Tach denk ich schon. Jo!», nickte er bestätigend. «Jo! Das wird wohl reichen.»

«Nun denn, dann lassen Sie sich nicht von der Arbeit abhalten.» Mit einer Handbewegung gab Hendrik Schütz zu verstehen, ihn ins Dienstzimmer zu begleiten. Er blickte noch einmal auf das Sammelsurium von Eisenteilen und schüttelte verständnislos den Kopf. Morgen hätten sie also einen Dampfkran im Hof der Polizeiwache stehen. Und da sollte noch einer sagen, dass die Hamburger Polizei technisch nicht auf dem modernsten Stand war.

«Gute Arbeit.» Hendrik studierte die unterschiedlichen Angebote von Kränen, die Schütz nach Herstellern sortiert auf dem Tisch ausgebreitet hatte: Modellzeichnungen, Angaben zu Last- und Tragfähigkeit, Preise und Lieferbedingungen. Das Material schien vollständig zu sein. «Erstaunlich», meinte Hendrik schließlich, nachdem er die Angebote miteinander verglichen hatte. «Es macht den Eindruck, als wenn die Hersteller die Preise untereinander abgesprochen hätten. Da gibt es kaum Unterschiede. Vor allem die Preisnachlässe bei Abnahme größerer Stückzahlen finde ich interessant. Hat Dalmann nicht gesagt, die meisten der Firmen hätten noch nicht einmal vorführbereite Probemodelle? Und dann, schau mal hier!» Hendrik tippte mit dem Finger auf eines der Angebote. «Bei Abnahme von hundert Kränen gewähren Schmilinsky & Söhne einen Preisnachlass von ... warte mal ... na, das ist ungefähr ein Drittel des Preises. Und hier, Waltjen geht sogar noch weiter: Kosten bei Abnahme von dreihundert Kränen. Du meine Güte. Ich frage dich, wie können die in solchen Stückzahlen kalkulieren, wenn sie noch nicht einmal einen einzigen Kran gebaut haben? Und vor allem, aus welchem Grund glauben die, Dalmann würde hundert Kräne ordern? Ich weiß ja nicht, in welchem Abstand die Kräne an der Vorsetze stehen sollen, aber mehr als zwanzig passen da doch gar nicht hin.»

«Wissen wir, was die englischen Kräne kosten?», fragte Schütz und deutete zum Hoffenster.

Hendrik schüttelte den Kopf. «Bis jetzt noch nicht. Das würde uns natürlich weiterhelfen. Bestimmt kann uns Dalmann da Auskunft geben. Übrigens, was mir bei Dalmann einfällt, warst du noch mal auf dem Telegraphenamt?»

Schütz zog schweigend einen Stapel Registerseiten hervor und legte ihn vor Hendrik auf den Tisch.

Hendrik lächelte und nickte anerkennend. «Und?», fragte er.

«Das ist die Meldeliste der letzten drei Tage. Weder Dalmann noch einer der hiesigen Kranhersteller tauchen darin auf – zumindest namentlich nicht.»

«Schade.» Hendrik blätterte die acht Seiten durch. Name, Uhrzeit, Wortzahl, alles war sorgfältig in Spalten notiert. Bis zum Eintrag «Polizeiinspektor Schütz, Dienststelle Raboisen» gab es 72 Einträge, darunter rund zwanzig mit Verbindung nach London. «Sag mal ...» Hendrik kratzte sich nachdenklich am Hinterkopf, dann ging er nochmal die Spalte mit den Uhrzeiten durch. «Als du gestern Appleby Brothers verständigt hast, warst du da allein auf der Telegraphenstation?»

«Allein?» Schütz zögerte. «Ja, also … es war zumindest ziemlich leer, würde ich sagen. Ich konnte ja auf Antwort warten.»

«Wie lange hat das gedauert? Überleg genau! War noch jemand auf der Station?»

Schütz ging nachdenklich im Zimmer auf und ab. «Ungefähr eine Viertelstunde habe ich gewartet. Und jetzt, wo du mich fragst … Kann schon sein, dass da noch jemand war …»

«Mensch, Johannes!» Hendrik schlug mit der Hand auf den Tisch. «Eine Viertelstunde!», wiederholte er vorwurfsvoll. «Denk mal nach! Der Weg von der Telegraphenstation in London zur Firma, die antworten prompt, dann der Weg wieder zurück, und das soll alles in einer Viertelstunde erledigt gewesen sein?!»

«Ja, wenn ich das recht überdenke, das ging schon etwas schnell …»

«Zu schnell, Johannes! Weißt du, was ich glaube? – Die Antwort von Appleby Brothers, die war gar nicht für dich bestimmt. Irgendjemand hat vor uns London informiert. Die wussten schon Bescheid über die Vorgänge hier! Vor allem wussten sie, dass wir die Kisten mit dem Kran konfisziert haben!»

«Das kann ja nur Direktor Dalmann gewesen sein.»

«Er wird sicher nicht selbst zur Telegraphenstation gefahren sein, sondern hat jemanden geschickt. Hier, warte mal … drei Namen sind notiert …» Hendrik versuchte, die Namen in der entsprechenden Spalte zu entziffern. «Um viertel vor … nach London – Passen soll das wohl heißen, aber nein, das ist zu früh, da habe ich noch mit Dalmann in der Baracke gesessen. Bleiben noch die hier: Luksch, aber das ging nicht nach London ... und Smith, dem Namen nach sicher ein Engländer. Das ist bestimmt unser Mann.» Hendrik schob die Blätter beiseite. Darum würde er sich später kümmern. Mit der Suche nach Mr. Smith würde er nur unnötig Zeit verschenken. Es war einfacher, wenn er Dalmann direkt darauf ansprach.

«Und dann war vorhin noch jemand von der Deputation für das Auswandererwesen hier», meinte Schütz. «Heinrich Boller. Er wollte dich zwecks der Meldung einer Anzeige sprechen.»

«Und?», entgegnete Hendrik, der sich in Gedanken schon zurechtlegte, wie er Dalmann morgen zur Rede stellen würde. «Hast du ihn an den Wachhabenden verwiesen?»

«Nein – er ließ sich nicht abwimmeln. Wollte unbedingt den Commissarius persönlich sprechen.»

«Eine Anzeige bezüglich der Auswanderer? Mensch, hat der Mann eine Vorstellung, wie viele Anzeigen hier täglich eingehen, die irgendwelche Auswanderer betreffen? Nein, dafür habe ich nun wirklich keine Zeit!» Hendrik machte eine abfällige Handbewegung. «Wird Zeit, dass wir Verstärkung bekommen. Wenn er wieder hier auftaucht, sagst du ihm, er soll seine Anzeige in der Wachstube aufgeben oder es ganz sein lassen. Ich kann mich schließlich nicht um jedes Kinkerlitzchen kümmern!»

«Sag ich ihm.» Schütz wartete auf weitere Instruktionen, aber es schien nicht so, als hätte Hendrik noch etwas auf dem Herzen gehabt. «Sonst noch was?», fragte er sicherheitshalber, doch der Commissarius schüttelte nur abwesend den Kopf, woraufhin sich Schütz mit einem halblauten «Bis morgen dann» verabschiedete.

Hendriks Blick fiel auf den Korb mit den Posteingängen: drei dicke Ordner vom Niedergericht. Vor ihm lag die Akte Hübbe – und eine lange Nacht.

~ *Hinter den Kulissen* ~

*E*s war die letzte Stunde vor Sonnenaufgang, die Vögel sangen schon, als Hendrik etwas übermüdet in den Holländischen Brook einschwenkte. Entgegen seiner Gewohnheit hatte er den Pferdewagen in der Polizeistation gelassen und sich zu Fuß auf den Heimweg gemacht. Die Stadt lag noch im Dunkel und die Straßen waren menschenleer. Vereinzelt erhellten die Lichtkegel vergessener Gaslaternen kurze Abschnitte der Straßenfluchten, und der Widerhall seiner Schritte folgte dem Commissarius durch die Gassen.

Hendriks Versuch, das Haus möglichst geräuschlos zu betreten, war vergebens. Clara empfing ihn am bereits gedeckten Frühstückstisch. Nichts verriet Hendrik, ob sie in aller Frühe aufgestanden war oder die Nacht über auf ihn gewartet hatte. Falls Letzteres zutraf und sie keinen Schlaf gefunden hatte, so ließ Clara es sich zumindest nicht anmerken.

«Bist du mit deinen Ermittlungen weitergekommen?», fragte sie zur Begrüßung.

Nach dem Streit in der Nacht zuvor klangen Claras Worte wie ein Friedensangebot.

«Dank deiner Hilfe, ja!» Hendrik war entschlossen, den Gedanken an Claras Reisepläne zu verdrängen. «Aber ich kann mir nicht erklären, warum Dalmann sich meinen Anweisungen widersetzt hat und hinter meinem Rücken nach London telegraphieren ließ. Warum geht er das Risiko ein, meinen Zorn auf sich zu laden?»

«Vielleicht will er dich provozieren, weil du ihn zurechtgewiesen hast», sagte Clara und schenkte ihm Kaffee ein.

«Aber das ergibt doch keinen Sinn», empörte sich Hendrik. «Ich habe einen Mord aufzuklären und mir lediglich verbeten, dass er seine Sorgen um diesen dämlichen Kran über die Aufklärung dieses Falls stellt.»

«Vielleicht wollte er einfach nur klarstellen, dass er sich von dir nicht bevormunden lässt», spekulierte Clara. «Du solltest der Angelegenheit keinen zu großen Wert beimessen, es sei denn ...», sie zögerte. «Es sei denn, du siehst irgendeinen Zusammenhang zwischen seinem Vorgehen und dem Mord.»

«Ich wüsste nicht, welchen. Dalmann will diesen Kran unbedingt haben, aber er hätte ihn ja so oder so bekommen. Da sehe ich überhaupt kein Motiv.»

«Aber nun bekommt er ihn nicht!?»

«Vorerst bleibt er eingezogen», erklärte Hendrik. «Schütz lässt ihn auf dem Hof der Wache zusammenbauen. Wenn Dalmann unbedingt will, kann er sich seinen Kran ja dort anschauen. Aber wie es bislang den Anschein hat, tut er genau das nicht. Er wendet sich auch nicht an mich, sondern an den Hersteller, obwohl *ich* das vermeintliche Objekt seiner Begierde habe. Das ist ja auch das, was ich eben nicht verstehe ...» Hendrik ging zum Fenster, zog die Vorhänge beiseite und öffnete es. Noch war es draußen kühler als im Haus und eine leichte Morgenbrise strömte sanft ins Zimmer. Den Tag über mussten alle Fenster verschlossen bleiben, da die Ausdünstungen der Großstadt bei den sommerlichen Temperaturen ganz unerträglich wurden.

«Du hast Recht», bemerkte Clara. «Vielleicht solltest du ihn deshalb gar nicht auf das Telegramm ansprechen, sondern ihn höflich einladen, den Kran im Hof der Polizeiwache zu besichtigen. Vermutlich schlägst du dadurch zwei Fliegen mit einer Klappe …»

«Ich werde gleich …» Hendrik blickte zur großen Standuhr neben der Anrichte, die sein Schwiegervater ihnen zur Einweihung geschenkt hatte. Man müsse mit der Zeit gehen, hatte Conrad damals augenzwinkernd erklärt. Inzwischen wusste Hendrik, warum Conrad sich so leichtherzig von dem kostbaren Familienerbstück getrennt hatte: Zu jeder vollen Stunde durchdröhnte der markerschütternde Klang des Läutwerks das ganze Haus. Aus diesem Grund standen die Zeiger der Uhr auch öfters still; heute Morgen allerdings nicht. Es war kurz vor fünf. «Vielleicht sollten wir zuvor noch ein kleines Nickerchen halten», schlug Hendrik vor.

«Geh du schon vor», antwortete Clara mit einem liebevollen Lächeln auf den Lippen. «Ich bereite Sören noch das Frühstück. Er wird gleich herunterkommen. Wenn er aus dem Haus ist …»

«… dann kommst du nach», vervollständigte Hendrik und erhob sich.

Clara nickte. «Bevor die Geschäftigkeit des Tages einsetzt – darf ich dich daran erinnern, dass wir heute Abend zu einer Soirée bei Mercks eingeladen sind?»

«Bei Mercks?», brummte Hendrik mürrisch. «Ach ja, das hätte ich beinahe vergessen.»

«Du hast mir versprochen, mich zu begleiten!» Clara verschränkte die Arme vor der Brust und legte den Kopf zur Seite. Dazu formte sie einen Schmollmund. «Es ist ein Dankeschön an all diejenigen, die beim Waisengrün geholfen und für die Tombola gestiftet haben», erklärte sie. «Henny hat mir erzählt, wen Louise als Schutzherrin der Veranstaltung alles eingeladen hat. Es wird bestimmt ein netter Abend.»

Eigentlich wusste Clara genau, was Hendrik von solchen Veranstaltungen hielt, insbesondere wenn unter dem Vorwand der Mildtätigkeit opulente Feste stattfanden. Wahrscheinlich hatte allein die Dekoration des Festsaals ein Mehrfaches dessen gekostet, was zuvor für die Bedürftigen zusammengekommen war. Aber der Name Merck hatte Hendrik aufhorchen lassen. «Nun ja, wenn ich es versprochen habe …», druckste er herum und zog dabei ein schiefes Gesicht, «und wenn Henny auch kommt … dann werde ich ja wohl schlecht nein sagen können.»

Erst gegen Mittag verließ Hendrik das Haus und machte sich auf den Weg zum Sandthor-Becken. Kaum hatte er die Straße betreten, musste er sich mit einem Sprung zur Seite vor dem Strahl eines vorbeifahrenden Sprengwagens in Sicherheit bringen. Eine Horde Kinder lief hinter dem Wagen her und sprang jauchzend durch das erfrischende Nass, das bei diesem Wetter den Staub auf den Straßen nur für Stunden zu beseitigen vermochte. Schon seit Tagen fuhren die Wagen ununterbrochen durch die Stadt.

Hendrik blickte an sich herab. Die neue Leinenhose, die Clara ihm genäht hatte, war eine Spur zu hell und daher sehr fleckenanfällig, aber sie hatte nichts abgekriegt. Hendrik fand den Farbton eher unpraktisch, änderte aber seine Meinung, als er an der nächsten Ecke in den St.-Annen-Kirchhof einbog und den Schatten der Häuser am Holländischen Brook verließ. Die Mittagssonne brannte schrecklich, und der helle und luftige Stoff ließ die Hitze zumindest einigermaßen erträglich werden.

Zielstrebig steuerte Hendrik auf die kleine Baracke am Rande der Baustelle zwischen Brookthor und Sandthorquai zu, in der er vor Tagen mit Johannes Dalmann und Franz Andreas Meyer gesprochen hatte. Die Baracke war leer, aber er fand den Kondukteur nur ein paar Schritte entfernt im Gespräch mit drei Arbeitern. Auch Meyer war angesichts der Temperaturen in helles Leinen gekleidet, dazu trug er einen großen Strohhut. Inmitten der Bauarbeiter wirkte er damit wie ein Fremdkörper, fast wie ein Maler in der Natur, wie Hendrik fand, zumal der Kondukteur ein großes Vermessungsstativ vor sich stehen hatte, das man für eine Staffelei hätte halten können.

Als er Hendrik auf sich zukommen sah, klemmte er seine Unterlagen zwischen die Beine des Stativs und ging ihm einige Schritte entgegen. «Herr Inspektor Bischop, ich habe Sie erwartet. Man sagte mir, Sie wären gestern schon hier gewesen. Es tut mir Leid, dass Sie mich nicht antrafen. Wir müssen uns um Minuten verpasst haben.»

«Commissarius», korrigierte Hendrik und schüttelte Meyer die Hand.

«Herr Commissarius Bischop. Es tut mir Leid, wenn ich Sie versehentlich herabgesetzt habe, aber aus dem Blickwinkel eines einfachen Kondukteurs erscheint der Unterschied marginal. Auch der Rang eines Inspektors ...»

«Es ist gut, Herr Meyer», unterbrach ihn Hendrik. «Ich denke, wir sollten gleich zur Sache kommen.»

Kondukteur Meyer machte einen Schritt zurück und

deutete eine respektvolle Verbeugung an. «Ich stehe ganz zu Ihren Diensten – Sie haben sicherlich ein konkretes Anliegen?»

«Ich wollte Ihnen mitteilen, dass wir dabei sind, den Dampfkran auf dem Hof der Polizeiwache zusammenzubauen. Und natürlich kann er dort jederzeit von Ihnen oder Direktor Dalmann in Augenschein genommen werden.»

Er machte eine Pause und blickte Meyer freundlich an: «Ich hatte ja neulich den Eindruck, als wenn sich Ihr Vorgesetzter ernsthaft Sorgen um den Verbleib der Maschine machen würde …»

«Das wird Direktor Dalmann freuen. Wir haben seit dem Vorfall allerdings gar nicht mehr über den Kran gesprochen», erklärte Meyer. «Momentan hat er andere Sorgen.»

«Nämlich?» Hendrik konnte seine Neugierde nur mit Mühe verbergen.

Meyer zuckte hilflos mit den Schultern. «Es geht immer noch um die Beteiligung der Berlin-Hamburger Eisenbahn-Gesellschaft. Die Gesellschaft hat der Schifffahrt- und Hafendeputation den äußerst generösen Vorschlag unterbreitet, für die Betreibung der Umschlaganlagen nicht nur die Schuppen, Kräne und Gleisanlagen zu finanzieren, sondern darüber hinaus auch für den gesamten Ausbau der weiteren Hafenbecken aufzukommen.»

Hendrik horchte auf. «Weitere Hafenbecken? Wie viele werden denn noch angelegt?»

«Eine konkrete Zahl steht nicht im Raum. Das Problem ist, dass sich die beteiligten Gremien immer noch nicht einig sind. Die Schifffahrt- und Hafendeputation ist, wie Sie sich vorstellen können, begeistert von der

Der Spielplatz von Sören und Martin:
Kehrwiederspitze – Westende des Sandtorkais mit Blick auf Freigatt
und Niederhafen. Im Hintergrund die Straßenzüge
Vorsetzen und Baumwall. Fotografie G. Koppmann um 1877.
(Staatsarchiv Hamburg)

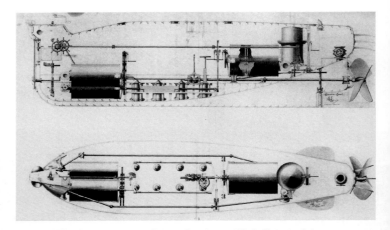

So ungefähr hätte er ausgesehen – der eiserne Wal. Konstruktionszeichnung eines Hyponautischen Apparates vom 12. Februar 1853 von Wilhelm Bauer. (Deutsches Museum München, Zeichn.-Nr. 2239)

Rekonstruierter Steuerstand des 1851 im Kieler Hafen gesunkenen und 1887 gehobenen Brandtauchers von Wilhelm Bauer. (Militärhistorisches Museum der Bundeswehr Dresden)

Idee. Genauso die Deputation für Handel und Schifffahrt. Die Finanzdeputation scheint geschlossen gegen
das Vorhaben zu sein, ebenso viele Senatoren.»

«Wenn ich mich recht an Ihre Worte erinnere, hatten
Sie auf Grund Ihrer Erfahrungen bei der Eisenbahn einige Bedenken, was die Vergabe städtischen Bodens betrifft.»

«Natürlich. Daran hat sich grundsätzlich auch nichts
geändert», bestätigte Meyer. «Es ist das Problem zu-
künftiger Einflussnahme durch ein Wirtschaftsunternehmen, da muss man sicherlich abwägen. Aber wenn
Sie das Ganze aus der Perspektive der Wasserbaudirektion betrachten – und für diese Institution arbeite ich
nun mal –, dann trachten Sie zuerst danach, die baulichen Vorhaben überhaupt umsetzen zu können. Es ist
ja nicht so, dass von denjenigen, die gegen die Vergabe
an die Eisenbahngesellschaft stimmen, ein realistischer
Gegenvorschlag unterbreitet würde. Natürlich wollen
alle den Hafenausbau, aber sobald es um die Finanzierung geht, schiebt man die Verantwortung einfach an
ein anderes Gremium weiter. Nur die Finanzdeputation
kann, wenn es um Pekuniäres geht, die Verantwortung
nicht mehr weiterschieben.» Meyer schüttelte den
Kopf. «Dazu kommt noch ein merkwürdiger Sachver-
halt», sagte er zögernd. «Es gibt anscheinend zwei Frak-
tionen im Kreis der Deputierten. Dalmann berichtete
mir, dass sich gerade die Senatoren und Abgeordneten,
die zugleich Reedereien besitzen oder aus den großen
Reedersfamilien stammen, eben nicht für die Finanzierung durch die Eisenbahngesellschaft einsetzen, obwohl man sich doch eigentlich gerade in diesen Kreisen
durch den zügigen Ausbau des Hafens wirtschaftliche
Vorteile versprechen müsste.»

«Ach, das ist ja sonderbar. Was meinen Sie denn, ist der Grund dafür?», fragte Hendrik.

«Ich kann mir das ehrlich gesagt nicht erklären», gestand der Kondukteur. «Ich sehe nur, dass kostbare Zeit verstreicht. Der Ausbau ist ja beschlossene Sache, die Arbeiten haben begonnen, und nun kommt die Angelegenheit ins Stocken. Niemand hat einen Vorteil dadurch, dass sich der weitere Ausbau hinzieht.»

«Vielleicht ja doch», entgegnete Hendrik und kratzte sich am Ohr.

«Das kann ich mir nicht vorstellen – eher das Gegenteil ist der Fall. Wissen Sie, die Eisenbahngesellschaft ist ja nicht der erste Investor, der an die Stadt herangetreten ist. Die Stadt schadet sich mit ihrer Hinhaltetaktik, was wirtschaftliche Belange betrifft, auf Dauer ganz empfindlich. Es ist inzwischen so weit, dass einige mögliche Investoren, die an Grundstücken auf dem Grasbrook und an eigenen Hafenbecken interessiert waren, inzwischen einen Rückzieher gemacht haben oder sogar abgewandert sind, da man auch ihnen die Betreibung eigener Umschlaganlagen verwehrt hat. Ich denke da beispielsweise an die Hapag. Die Hapag war wohl das erste Unternehmen, das der Stadt konkrete Angebote unterbreitet hat. 1857 war das. Soweit mir bekannt ist, wollte man ein Hafenbecken allein für Hapag-Schiffe sowie ein größeres Gelände, um Unterkünfte für Auswanderer zu bauen. Das war vor fünf Jahren; zu der Zeit wurde noch die Anlage von Dockhäfen auf dem Areal des Grasbrooks diskutiert. Sicherheitshalber ist die Hapag dann ausgewichen und hat die Landungsbrücke am Jonashafen gebaut.»

«Weil die Hapag keinen Dockhafen wollte, oder weil man der Hapag das Gelände nicht verkaufen wollte?», fragte Hendrik. Er wunderte sich. Meyer sprach von Plänen, die schon vor Jahren ad acta gelegt worden waren. Von Christian Hellwege dagegen hatte er gestern in Cöllns Stuben erfahren, dass Adolph Godeffroy noch im Frühjahr dieses Jahres für die Hapag am Geländekauf interessiert war. Immer noch, oder wieder? Das war die Frage, die Hendrik blitzartig durch den Kopf schoss. Meyer konnte ihm das natürlich nicht beantworten. Und welcher Grund mochte hinter den Kaufwünschen der Hapag stecken? Hatte sich das Gelände am Jonashafen auf Dauer als zu klein erwiesen, oder hatte man erneut Interesse, weil der Bau von offenen Hafenbecken nun beschlossene Sache war? Er stellte Meyer diese Frage.

«Ich glaube, Ersteres war der Grund. Aber genau kann ich Ihnen das auch nicht sagen. Wissen Sie, ich bin ja erst seit kurzem wieder in der Stadt und kenne die bisherigen Vorgänge der Hafenentwicklung in erster Linie von Direktor Dalmanns Schilderungen. Aber wenn Sie die Denkschrift der Commerzdeputation über die zukünftigen Hafenanlagen auf dem Grasbrook aus dem Jahre 1858 lesen, dann erfahren Sie, dass zumindest der Direktor der Hapag ein entschiedener Befürworter des Tidehafens war. Neben dem damaligen Sekretär der Deputation, Soetbeer, gehörte nämlich Adolph Godeffroy zur Arbeitsgruppe der Deputation, die die Denkschrift ausgearbeitet hat. Dalmann wurde von ihnen als technischer Berater herangezogen.»

Es war genau, wie Hendrik vermutet hatte: Godeffroy agierte einerseits als Direktor der Hapag, der für das Unternehmen Interesse am Areal bekundete, und andererseits als Commerzdeputierter, der unwesentlich später als Mitverfasser einer Denkschrift über die zukünftige Gestalt und damit die Nutzung des gleichen Areals auftrat. Anscheinend gab es doch Gründe, die das Herauszögern gegenwärtiger Entscheidungen rechtfertigten. Zumindest wenn man die unterschiedlichen Voraussetzungen für den Frachtverkehr und den Transport von Passagieren berücksichtigte.

«Nochmal zurück zum weiteren Ausbau – wo sollen denn weitere Hafenbecken gebaut werden?» Hendrik machte einen weiteren Schritt auf Meyer zu, als müsse der Kondukteur, um die Frage zu beantworten, ein Geheimnis verraten, und lächelte ihn vertraulich an. «Wissen Sie, das interessiert mich doch persönlich sehr.» Er deutete mit dem Arm in östliche Richtung. «Ich wohne nämlich nur wenige hundert Meter hinter dem Brookthorhafen. Bis jetzt ist es ja noch ruhig, aber wenn ich mir die ganzen Schienen dort vorstelle ... Meine Frau wird nicht begeistert sein. Wann soll es denn da eine Entscheidung geben?»

«Also, die östlichen Flächen des Grasbrooks werden zunächst wohl nicht angetastet», sagte Meyer.

«Zunächst», wiederholte Hendrik. «Das klingt ja nicht gerade beruhigend.»

«Kommen Sie!», forderte der Kondukteur ihn auf. «Die Arbeit kann mich sicher für eine Zeit entbehren.» Er deutete auf das gegenüberliegende Ufer des Sandthor-Beckens. «Machen wir einen kleinen Spaziergang und ich erkläre Ihnen, was genau geplant ist.»

Nachdem die beiden über das Brookthor die andere Uferseite erreicht hatten, gingen sie weiter auf den Grasbrookhafen zu, einen trichterförmigen Einschnitt auf der Südseite des Großen Grasbrooks, dessen Hafenbecken landeinwärts und längs zum Elbstrom lag. Die Uferkante zwischen Gaswerk und Ostergatt glich einer

Geisterstadt. Die meisten der hier ehemals ansässigen Betriebe, vornehmlich Schiffbauer und kleinere Fabrikationsstätten, hatten den Standort aufgegeben und sich andernorts eine neue Heimstätte gesucht, bevor ihnen das gleiche Schicksal wie den an das Sandthor-Becken angrenzenden Betrieben drohte: Enteignung. Die Zukunft des Quartiers schien besiegelt. Nur bei einer Cementfabrik und einem kleinen Kalkwerk stiegen noch dünne Rauchfahnen in den Himmel. Ansonsten waren überall nur versperrte Tore und zugenagelte Fenster zu sehen.

Die baulichen Vorhaben, die Kondukteur Meyer auf dem Weg vortrug, versuchte er dem Commissarius zu veranschaulichen, indem er Achsen in die Luft zeichnete, wobei er immer wieder anhielt und Hendrik mit ausgestrecktem Arm aufforderte, den einzelnen Blickwinkeln zu folgen. Nach und nach entstand vor Hendrik ein Bild dessen, was für die nächsten Jahre projektiert war. Dem Sandthor-Becken würde, zum Elbstrom hin gelegen, ein weiteres Hafenbecken folgen, und das restliche Land auf dem Brook sollte allein von Quaischuppen und Transportwegen, vorrangig Schienen, besetzt sein.

Der Kondukteur zeigte sich völlig fasziniert von dem Vorhaben, obwohl er sich offenkundig auch der Probleme, die das Projekt mit sich brachte, bewusst war. Er machte auch keinen Hehl daraus, dass er mit seiner persönlichen Meinung zwischen den Stühlen saß. Einerseits sah er die Schwierigkeiten, die aus der Überschneidung unterschiedlicher Interessen der Beteiligten entstanden, andererseits stand er, was auf Grund seiner Position nur verständlich war, hinter den Belangen der Wasserbaudirektion. Hendrik gefiel es, dass Meyer ihm nicht nur bereitwillig Auskunft gab, sondern auch an einem kritischen Gespräch interessiert schien. Bei allen Erläuterungen verwies der Kondukteur immer wieder auf die bisherige Entwicklungsgeschichte des Hafens und erläuterte mit sichtlicher Sachkenntnis die während der letzten Jahre geführte Debatte um die technische Ausführung des Hafenausbaus.

Nach einer Weile schien Meyer ganz vergessen zu haben, was der Hintergrund des Treffens und wer sein Gesprächspartner war. Eine bessere Ausgangslage, um an Informationen zu gelangen, konnte sich Hendrik nicht vorstellen. Zudem war ihm der Kondukteur sympathisch. Hendrik schlug in Gedanken sein Notizbuch auf und versuchte, Meyer bei seinen Worten möglichst wenig zu unterbrechen. Das war gar nicht so einfach, da der Kondukteur sich häufiger durch Nachfragen vergewisserte, ob Hendrik seinen teils recht komplizierten technischen Erklärungen folgen konnte. Abgesehen davon, dass die weitere Planung des Hamburger Hafenausbaus wirklich sehr interessant war, hatte Hendrik allerdings gerade an den Details zur bisherigen Entwicklung besonderes Interesse. Vieles von dem, was Meyer berichtete, deckte sich mit dem, was Hendrik in der Nacht zuvor in der Akte Hübbe gelesen hatte.

Überrascht hatte ihn vor allem, dass der ursprüngliche Hafenausbauplan viel älter war, als ihm bewusst gewesen war. Bereits 1828 hatte der damalige Wasserbaudirektor, Reinhold Woltmann, Hafenbassins mit Schleusen auf dem Grasbrook vorgeschlagen. Als Vorbild hatte ihm dabei wohl die Erweiterung des Londoner Hafens gedient, die im gleichen Jahr fertig gestellt worden war. Der Bau eines Dockhafens musste dort auf Grund des Tidehubs der Themse von mehr als viereinhalb Metern durchgeführt werden. 1835 hatte der Hamburger Senat dann Charles Vignol mit einem Gutachten beauftragt, in dem vorgeschlagen wurde, durch die Vergrößerung des Niedernhafens zusätzliche Schiffsliegeplätze zu schaffen. Dafür sollten die ehemaligen Festungsbastionen abgerissen werden. Auf Drängen der Bürgerschaft beauftragte der Senat 1844 schließlich Heinrich Hübbe, der schon seit Jahren den Ausbau kleinerer Hafenteile vorgeschlagen hatte, mit der Ausarbeitung eines Hafenplans. Zur gleichen Zeit wandte sich die Commerzdeputation an den englischen Ingenieur William Lindley, der ebenfalls einen Hafenplan ausarbeitete – und diese Entscheidung schien die Wurzel allen Übels und der Ursprung für das Kompetenzgerangel der folgenden Jahre gewesen zu sein. Fachlich gesehen war Lindley, der Hamburg vor zwei Jahren mehr oder weniger unfreiwillig verlassen hatte, quasi unantastbar. Er hatte Hamburg den Wiederaufbauplan nach dem Großen Brand geliefert, hatte mit der Entwässerung des Hammerbrooks die Grundlage zur Errichtung eines neuen Stadtteils geschaffen, Kanalisation und zentrale Wasserversorgung eingeführt und neben anderen modernen Neuerungen zuletzt die Warmbadeanstalt auf dem Schweinemarkt errichtet. Vor allem aber hatte Lindley, was man gemeinhin «gute Kontakte» nannte. Er beteiligte sogleich James Walker, der den Londoner Hafen ausgebaut hatte, an der Planung, und auch Hübbe reiste im selben Jahr nach London, um den dortigen Hafenausbau zu inspizieren. Wie Lindley und Walker schlug dann auch Hübbe ein Jahr darauf den Bau eines Dockhafens mit Schleusen vor. Dafür hätte der Große Grasbrook nun eingedeicht werden müssen. Außer dem Abgraben einiger Uferteile und einer Vertiefung des ehemaligen Stadtgrabens zwischen Brook- und Sandthor, dem jetzigen Sandthor-Becken, geschah aber bis 1856 nichts von Bedeutung.

Dann überschlugen sich die Ereignisse: Erstmals meldeten sich die Reeder und Schiffseigner, die zukünftigen Nutznießer der Hafenbecken, zu Wort – allen voran Robert Miles Sloman, der kritisierte, dass die geplanten Hafenbecken nicht tief genug wären. Unterstützung erhielt er aus den Reihen der Commerzdeputation. Auch Hübbe war auf einmal gegen den Plan von 1845, aber nicht auf Grund technischer Bedenken, sondern weil er inzwischen erfahren hatte, dass Lindleys Pläne – genau wie damals nach dem Großen Brand – entsprechende Grundstücksenteignungen auf dem Grasbrook voraussetzten, und dass mit diesen Expropriationsvorhaben geheime Spekulationen betrieben wurden. Hübbe beschuldigte einige Senatoren, die zum Ärger von Hendrik in der Akte nicht namentlich genannt wurden, sich durch Grundstückshandel auf dem Grasbrook bereichern zu wollen. Was daraufhin folgte, war Hendrik nur zu gut bekannt: Der Senat gab der Polizeibehörde die Empfehlung, disziplinarische Maßnahmen zu ergreifen, und Hübbe wurde schließlich suspendiert.

Ungeachtet der Vorwürfe genehmigte die Bürgerschaft das Expropriationsvorhaben noch im selben Jahr. Johannes Dalmann wurde Wasserbauinspektor und kämpfte seither für den Bau eines Tidehafens ohne Docks und Schleusen. Nachdem er die Vorzüge dieser Form des Ausbaus, vor allem für die Bedürfnisse des Dampfschiff- und Eisenbahnverkehrs, in den rosigsten Farben geschildert hatte, stellten sich auch Commerzdeputation und einige Reedereien hinter sein Begehren. Nur William Lindley beharrte auf einem Hafen mit

Schleusen. Verglichen mit Dalmann hatte er eindeutig die bessere Reputation, und er verkehrte eben mit den großen Familien der Stadt, die nach wie vor den Großteil des Senats stellten. Aber nach der Verfassungsreform waren die Weichen anders gestellt. Die Bürgerschaft hatte einen unmissverständlichen Machtzuwachs erhalten und deren Abgeordnete hielten engen Kontakt zum Grundeigentümerverein, dem Lindley mit seinen Expropriationsvorhaben schon längst ein Dorn im Auge gewesen war.

Die Verstärkung, die sich Dalmann 1858 in Person des bedeutendsten deutschen Wasserbauingenieurs, des preußischen Geheimen Oberbaurats Gotthilf Hagen, holte, wäre wahrscheinlich gar nicht nötig gewesen. Auf Anraten des Grundeigentümervereins legte man Lindley 1860 nahe, die Stadt zu verlassen. Damit war der stärkste Verfechter eines Dockhafens beseitigt, und tatsächlich beauftragte der Präses der Grasbrookkommission, Sieveking, der zugleich Präses der Schifffahrt und Hafendeputation war, Dalmann mit der Ausarbeitung eines neuen Hafenplans. So weit die verzwickte Vorgeschichte, wie sie sich Hendrik mühsam aus dem gesammelten Aktenmaterial zusammengeklaubt hatte.

«Ein unglaubliches Kuddelmuddel», fasste Hendrik Meyers Schilderung der bisherigen Entwicklung zusammen. «Unfassbar, wie schleppend der bisherige Ausbau des Hamburger Hafens vorangetrieben wurde. Das Wohl der Stadt scheint jedenfalls nicht allen Beteiligten sonderlich am Herzen zu liegen. Ich kann mir allerdings gut vorstellen», überlegte er, «dass einige Schiffseigner und kleinere Reedereien es nicht so gerne sähen, wenn die Vergabe von Anlandestellen sowie der ganze

Umschlag von einem fremden Unternehmen gesteuert würden. Insbesondere nicht von einer Aktiengesellschaft, die letztendlich nur an Gewinnausschüttung interessiert ist. Da hieße es dann, diejenigen, die am meisten umschlagen, bekommen die besten Plätze. Diejenigen, die die größten Schiffe haben, werden bevorzugt. Das Gros der Reeder hat aber nach wie vor Segelschiffe und benötigt nicht unbedingt Hafenbecken, wie sie hier am Sandthor entstehen.» Hendrik deutete auf die im Bau befindliche Quaivorsetze, die sich am Ufer des Sandthor-Beckens entlangzog. Der Rundgang, den die beiden gemacht hatten, war fast beendet. Mehr als zwei Stunden waren sie unterwegs gewesen, und Meyer hatte jedes nur erdenkliche Detail der geplanten Ausbauten erörtert. Nun standen sie gegenüber von Abendroths Dampfmühle und blickten auf die Baustelle, die Meyer zu beaufsichtigen hatte.

«Sie sagen es. Aber die Dampfschifffahrt wird am Ende nicht aufzuhalten sein», entgegnete der Kondukteur. «Stellen Sie sich die vielen Dampfschiffe vor, die Schuppen, die Bahnen, die unentwegt Güter an- und abtransportieren. Das ganze Areal hier, auch der Fleck, auf dem wir gerade stehen: das alles wird von Betriebsamkeit durchzogen sein. Ein ständiges Kommen und Gehen. Kettenrasseln. Maschinenstampfen. Die Schiffe werden an- und ablegen, soweit das Auge reicht. Hier wird ein neuer Teil der Stadt entstehen und immer weiter wachsen. Ein Zentrum des Warenumschlags in neuen Dimensionen. Dimensionen, welche die Stadt bisher nicht kannte und von dem alle profitieren werden.»

Hendrik sah das Leuchten in den Augen des Kondukteurs. Meyer schien fasziniert von dem, was er einer Vision gleich verkündete, so fasziniert von dem Werk, an dem er mit gestalterischer Schaffenskraft mitwirkte, dass er zeitweilig blind war für dessen problematische Seiten. Hendrik kannte diese Begeisterung für eine Sache, den Idealismus, der häufig von einer gewissen Portion Naivität begleitet wurde, aus eigener Erfahrung. In jungen Jahren war auch er selbst des Öfteren dieser Zuversicht aufgesessen, gesellschaftliche Umwälzungen mit dem eigenen Handeln beeinflussen und steuern zu können. Mit der Zeit erst war ihm bewusst geworden, wie komplex das Uhrwerk der Geschichte und was für ein kleines Rädchen man darin selbst war.

«Das klingt jetzt gerade so, als wenn Sie zum Kreis der zukünftigen Nutznießer gehören würden», bemerkte er schmunzelnd.

Meyer machte einen Schritt zurück und blickte Hendrik erschrocken an. Dann merkte er, dass der Commissarius ihm nur hatte demonstrieren wollen, wie man seine Worte auch verstehen konnte.

Ein Lächeln umspielte Meyers Mundwinkel. «Nein, leider nicht», gestand der Kondukteur. «Zum Leidwesen meiner Familie hege ich keine kaufmännischen Interessen. Ich habe mich ganz der Architektur verschrieben und hoffe, was die Gestalt der Stadt betrifft, zukünftig Möglichkeiten der Einflussnahme zu bekommen. Die Öffnung der Stadttore bietet ja die Chance einer Neustrukturierung. Leider gehen meine Beziehungen in der Stadt nicht so weit, dass ich einen Förderer mit Einfluss vorweisen könnte. Ich habe mich um Aufnahme in den Architectonischen Verein beworben. Sollten sich hier einmal Perspektiven eröffnen, werde ich meine bescheidenen Fähigkeiten gerne in die Dienste der Stadt stellen. Aber wie ich bereits erwähnte, bin ich gerade erst in meine Heimatstadt zurückgekehrt und habe noch keine Gelegenheit gehabt, mich näher mit den unterschiedlichen Interessen der ‹zukünftigen Nutznießer›, wie Sie sie nennen, zu befassen.»

«Ich wollte damit nur andeuten, dass einigen Leuten in Hamburg die Entwicklung vielleicht zu schnell geht, weil man glaubt, nicht mithalten zu können», erklärte Hendrik.

«Das halte ich schon für möglich, zumal das Kapital der Kaufleute nach der Wirtschaftskrise immer noch arg begrenzt zu sein scheint.»

«Glauben Sie?» Hendrik musste an die geplante Soiree bei Mercks heute Abend denken. Da würde sicherlich nicht die geringste Spur von Finanzschwäche sichtbar sein. Bei diesem Gedanken blickte er erschrocken zur Kirchturmuhr von St. Katharinen. Es wurde Zeit aufzubrechen. Er hatte Clara versprochen, heute Nachmittag noch den bestellten roten Seidentaft bei Wielands Stoffmanufaktur abzuholen, und bis zum nächsten Droschkenstand hatte er noch ein gehöriges Stück zu laufen. Er verabschiedete sich von Meyer und dankte ihm für den aufschlussreichen Spaziergang, nicht ohne nochmals darauf hinzuweisen, dass der Kran jederzeit zu besichtigen sei und aller Voraussicht nach auch bald von der Polizeiwache abgeholt werden könne.

Hitze und Staub auf der Baustelle hatten Hendriks Kehle ausgetrocknet, und er beschloss, erst einmal auf ein Bier bei Esther Weiland einzukehren. Esthers Schänke hatte zum Garten hin einige schattige Plätze, und außerdem zapfte die Wirtin das beste Bier weit und breit. Auch wenn Hendrik kein regelmäßiger Gast war, freute sich Esther doch jedes Mal, ihn zu sehen, und machte auch keine Anstalten, dies zu verbergen, schließlich war Hendrik Bischop einst ihre große Jugendliebe gewesen. Das war zwar nun schon knappe vierzig Jahre her, und eigentlich hatte sich nie etwas Ernsthaftes zwischen ihnen abgespielt, aber die Sympathie und Zuneigung war über die Jahre erhalten geblieben.

Ein verschmitztes Lächeln huschte über ihre Lippen, als Hendrik den Schankraum des alten Hauses betrat. «Na, das ist ja eine Freude.» Sie hielt ein großes Tablett vor der Brust und deutete auf den Durchgang zum Garten. «Volles Haus», erklärte sie entschuldigend. «Vielleicht kannst du noch einen Platz unter der alten Rebe ergattern.»

«Bring mir den größten Krug, den du auftreiben kannst – vom Hellen –, ich habe Durst für zehn und nicht so viel Zeit.»

Esther nickte im Vorübergehen. «Schade», murmelte sie. «Vielleicht kommst du mal auf einen Schnack vorbei, wenn nicht so viel los ist.»

Auf den Bänken im Garten herrschte Gedränge, aber Hendrik hatte Glück. Nachdem er sich erst vergeblich nach einem freien Platz umgesehen hatte, erhob sich ein Trupp Hafenarbeiter und räumte den begehrten Tisch unter der alten Linde. Hendrik ließ sich nieder, und nach kurzer Zeit waren auch die anderen Plätze im Schatten des Baumes wieder belegt. Niemand schenkte seiner Person besondere Aufmerksamkeit. Es war Schichtwechsel, und die Gespräche der Schauerleute kreisten um die üblichen Feierabendthemen. Über den Toten im Hafen sprach niemand. Den Wortfetzen nach, die Hendrik aufschnappte, ging es hauptsächlich wieder einmal um den Wal, der angeblich in der Elbe sein Unwesen trieb. Schon seit Tagen hielt sich das absurde Gerücht, einer dieser

Kolosse hätte sich in den Fluss verirrt. Hendrik nahm den Krug Bier in Empfang und verscheuchte die Wespen, die aufgeregt über dem Tisch kreisten und sich gierig auf jeden Tropfen des süßlich herben Getränkes stürzten. Das Bier war erfrischend und schmeckte köstlich. Hendrik leckte sich den Schaum von den Lippen und musste lächeln. Wahrscheinlich handelte es sich bei dem Wal doch wohl eher um einen Seehund. Der Sommer war trocken und ungewöhnlich heiß, und auch Fischer und Hafenarbeiter tranken gerne einen über den Durst. Da konnte eine Robbe schon mal die Dimension eines Walfisches annehmen. Esther stellte unaufgefordert weitere Krüge auf den Tisch, die zügig verteilt wurden. Sie kannte die Trinkgewohnheiten ihrer Kundschaft und verdiente gut daran. Hendrik winkte sie zu sich heran. «Einen Moment nur.»

Esther setzte sich, aber ihr Blick kreiste weiter unaufhaltsam über die Tische, um ja keine Bestellung zu verpassen.

«Was redet man denn so über den Toten vom Sandthor-Becken?», fragte Hendrik.

«Und ich hatte mir eingebildet, du kommst meinetwegen», antwortete Esther mit Schmollmiene. «Kannst wohl keine Sekunde die Arbeit ruhen lassen, Herr Commissarius, was?» Sie knuffte ihn in die Rippen. «Aber Recht hast du. Ich hätt auch gar keine Zeit für dich. Du siehst ja, was hier los ist.» Sie machte Anstalten, sich wieder zu erheben, aber Hendrik hielt sie zurück.

«Und, hast du was gehört?»

Sie schüttelte den Kopf. «Nicht mehr als das, was du in allen Straßen im Viertel hörst: ein Ausländer, erschlagen, tot eben. Keiner weiß was, keiner hat was gesehen. Hat das was mit den Bauarbeiten am Sandthor zu tun?»

Hendrik zuckte mit den Schultern. «Und wenn's so wäre?»

«Komme gleich!», rief Esther einer Gruppe zu, die lautstark mehr Bier orderte. «Könnt' mir schon vorstellen, dass da einer von denen durchgedreht ist ...»

«Durchgedreht? Einer von denen?»

«Ja, ja! Komme gleich, Jungs!», rief Esther in die Runde und wandte sich widerwillig noch einmal Hendrik zu. «Na von den Schauerleuten. Macht doch schon die Runde, dass man am neuen Hafenbecken den Betrieb anders aufziehen will. Die Jungs sind schon ganz nervös und fragen sich, was werden soll, wenn nur noch Dampfer kommen, die mit großen Kränen entladen werden. Und außerdem wird gemunkelt, dass man die Vorsetzen an die Reedereien und eine Eisenbahngesellschaft verpachten will und dass die dann allein bestimmen, wer da arbeitet ...»

«Na, so weit ist's ja wohl noch nicht.»

Esther erhob sich. «Du wolltest doch wissen, worüber geredet wird – und das ist eben, worüber geredet wird! So, ich hab zu tun. Zum Quatschen komm mal 'n ander Mal wieder, wenn's hier leerer ist. Und ich würd mich freu'n, wenn's dabei nicht immer nur um deine criminalen Sachen geht.»

Hendrik lehnte sich zurück und leerte den Krug. Auf der gegenüberliegenden Mauer machte sich eine Katze zum Sprung bereit. Vorsichtig schob sie ihre Pfoten vorwärts und näherte sich der Mauerkante. Die Schwanzspitze zuckte vor Anspannung. Hendrik konnte nicht erkennen, welche Beute sich auf der anderen Mauerseite befand, aber es war wohl ein Vogel, der sich da im Nachbargarten in scheinbarer Sicherheit wiegte. Als Hendrik erneut aufblickte, war die Katze verschwunden.

Auf dem Weg zum Droschkenstand an den Pickhuben und auch die ganze Fahrt zu Wielands Stoffmanufaktur am Schaarmarkt grübelte Hendrik darüber nach, wie er es am elegantesten bewerkstelligte, an die Namen der Senatoren heranzukommen, denen Hübbe geheime Spekulationen unterstellt hatte. In solchen Augenblicken vermisste er Inspektor Voss, der solche Dinge früher immer, ohne viel Aufsehen zu erregen, für ihn erledigt hatte. Hendrik war gezwungen, die Rolle, die der ehemalige Wasserbaudirektor bei der Angelegenheit spielte, neu zu überdenken. Wie es den Anschein hatte, waren nicht nur Kompetenzstreitigkeiten und böswillige Unterstellungen der Auslöser für dessen Suspendierung, nein, Hübbe hatte es offenbar gewagt, den Mächtigen der Stadt die Stirn zu bieten – und das gefiel Hendrik. Dabei hatte er Hübbes Schicksal damals eigentlich als Genugtuung empfunden.

Schließlich machte er doch einen Umweg über die Davidwache, um seinen ehemaligen Inspektor, der dort inzwischen stellvertretender Vorsteher war, um Hilfe zu bitten. Er wolle sehen, was sich da machen ließe, gab Voss ihm mit einem Augenzwinkern zu verstehen, und Hendrik kannte Voss gut genug, um damit zufrieden zu sein. Der kurze Abstecher hatte allerdings zur Folge, dass Hendrik gerade noch rechtzeitig zu Hause ankam.

Clara war in heller Aufregung. Nicht nur, weil noch Näharbeiten am Seidentaft vorzunehmen waren, sondern weil sie schon befürchtet hatte, Hendrik könne wider Erwarten nun doch nicht mit zur Soiree kommen. Eine knappe Stunde zuvor war Schütz vorgefahren und hatte ihr mitgeteilt, es gäbe irgendwelche Probleme beim Zusammenbau des Dampfkrans; das solle sie Hendrik unbedingt ausrichten. Aber als sie davon erzählte, winkte Hendrik zu ihrer Überraschung nur ab und meinte, er wisse sowieso nicht, was man auf dem Hof der Wache mit einem Kran anfangen sollte. Das Ganze wäre die Idee von Schütz gewesen, und nun solle der sehen, wie er das Ding zusammenbastelte.

Clara strahlte Hendrik erleichtert an, dann griff sie zu Nadel und Faden. Eine gute Stunde blieb ihr noch, um das Kleid ihren Vorstellungen gemäß umzuschneidern. Sören war bei Hellweges gut untergebracht, wo das Hausmädchen die Jungen versorgen würde, Hendrik schien guter Dinge zu sein, und auch sonst gab es nichts, was einem geselligen Abend im Wege stand.

D a hat sich bestimmt jemand einen Scherz erlaubt.»
Martin schüttelte den Kopf. «Oder kannst du mir
sagen, was der Quatsch mit den Gläsern soll?»

«Keine Ahnung. Vielleicht hat die Köchin das auch
nicht ganz richtig übersetzt», antwortete Sören. «Aber
wenn es doch eine Belohnung gibt!»

«Ein russischer General hier im Hafen? Das glaubst
du doch nicht wirklich? Außerdem sagt meine Mutter,
die Russen sind so oder so alle verrückt.»

Sören verkniff sich jeglichen Kommentar, was die Ansichten von Martins Mutter betraf. «Wir sollten der Sache trotzdem nachgehen. Am besten gleich heute
Abend», schlug er vor. «Wir können Jonas' Boot nehmen.
Ich weiß, wo er es immer festmacht.»

«Und wenn das unsere Eltern rauskriegen?! Außerdem ist es auf dem Wasser nachts viel zu gefährlich»,
sagte Martin und verschränkte die Arme vor der Brust.

«Ach Quatsch. Die sind doch auf dieser Feier bei
Mercks. Wenn das nicht bis tief in die Nacht dauern
würde, wäre ich nicht hier», bemerkte Sören. «Wenn die
zurückkommen, sind wir längst wieder hier und liegen
in den Federn. Die kriegen das überhaupt nicht mit.
Und gefährlich ist es auch nicht. Ich bin schon häufiger
über die Elbe gerudert, auch bei Wind und Wellen»,
erklärte er selbstbewusst, um die Zweifel seines hasen-
füßigen Freundes zu zerstreuen. Ein bisschen musste er

sich auch selbst Mut zusprechen, denn ohne Begleitung hatte er den Strom bislang noch nicht überquert. Aber das brauchte er Martin ja nun nicht gleich unter die Nase zu reiben. «Also, was ist? Kommst du mit oder nicht?»

«Und was ist mit Maria? Sie wird merken, wenn wir das Haus verlassen.»

Sören entging es nicht, dass seinem Freund einfach nur bange war. Das kannte er von ihm. Nicht dass Martin kneifen wollte, aber für ihn bestand ein eklatanter Unterschied zwischen den Abenteuern, die sie sich gemeinsam ausdachten, während sie miteinander spielten, und Situationen, wo es eben richtig zur Sache ging. Hinzu kam der Umstand, dass Martin Wasser nicht unbedingt als sein Element verstand. Soweit Sören wusste, konnte er nicht einmal schwimmen, auch wenn Martin diesen Makel gegenüber seinem Freund gut zu verstecken wusste.

Aber Sören war wild entschlossen, die Sache heute Nacht hinter sich zu bringen, mit oder ohne Martin, der wahrscheinlich sowieso nur mit schlotternden Knien hinter ihm gestanden und den Abbruch der Aktion gefordert hätte. Andererseits, natürlich hätte es Sören beruhigender gefunden, wenn er jemanden an seiner Seite gehabt hätte, und sei es, um die unheimliche Stille der Nacht mit Gesprächen zu füllen. So ganz wohl war ihm nicht bei der Vorstellung, aber nun war es zu spät, einen Rückzieher zu machen. Zumindest verkniff es sich Sören bei aller Enttäuschung, Martin als Feigling hinzustellen. «Du hast Recht», meinte er schließlich. «Einer muss Maria ablenken, während ich das Haus verlasse.»

Mit dankbarer Miene gab Martin zu verstehen, dass er geradezu ein Spezialist im Ablenken war.

Sören blickte zur großen Standuhr im Salon. Es war gerade mal sieben Uhr. «Bis Mitternacht spätestens bin ich zurück», versprach er. Dann kontrollierte er, ob er die Nachricht aus der Flaschenpost eingesteckt hatte, und schlich zum Dienstboteneingang, wo er so lange wartete, bis Maria Martins Stimme ins obere Stockwerk folgte. Er zog den Schlüssel aus dem Schloss, steckte ihn in die Hosentasche und verließ leise das Haus.

Wie Sören es erwartet hatte, lag das Boot hinter Buten Kajen an seinem gewohnten Platz. «Rundtörn mit zwei halben Schlägen», murmelte er vor sich hin, als er den Tampen von Jonas' Boot löste. Es beruhigte ihn, vor sich hin zu reden, denn es war zwar noch nicht richtige Nacht, aber der Tag neigte sich deutlich seinem Ende entgegen. Spätestens in drei Stunden würde es stockfinster sein. Der Arbeitstag war vorbei, auf den Straßen und an den Quais schlenderten Passanten. Niemand schien Sören sonderliche Beachtung zu schenken.

Auch im Binnenhafen war kaum mehr Betrieb, und Sören konnte das kleine Boot ohne Schwierigkeit zwischen den Ewern und Kähnen hindurchsteuern. Nun kam das schwerste Stück. Sören hörte auf zu rudern und streckte die Hand ins Wasser, um die Strömung zu kontrollieren. Eigentlich hatte er die Gezeiten im Kopf, aber sicher war sicher, schließlich musste er die Elbe hier an ihrer breitesten Stelle überqueren. Der Reiherstieg mündete genau gegenüber. Sören steuerte zehn Grad gegen die Strömung. Zielstrebig folgte Ruderschlag auf Ruderschlag, und nach einer knappen Viertelstunde hatte er das andere Ufer erreicht. Um das Boot aus dem Wasser zu ziehen, reichte seine Kraft nicht, also stieg er ins Wasser und zog es so lange an der Böschung entlang, bis er eine geeignete Befestigungsmöglichkeit gefunden hatte. Nur wenige Meter und ein alter Stakenzaun trennten ihn vom Gelände der Reiherstieg-Werften.

Sören blickte sich vorsichtig nach allen Seiten um und hielt Ausschau, ob ihn jemand beobachtet hatte, aber keine Menschenseele war zu sehen. Das ganze Werftgelände wirkte wie seit langem verlassen. Er überwand den Zaun mit einem geschickten Sprung und schlich in geduckter Haltung in Richtung Helgen. Nach einigen Schritten konnte er erkennen, dass die Gebäude, die auf dem Gelände bislang errichtet worden waren, doch noch nicht menschenleer waren. Aus dem Schlot der Kesselschmiede kräuselte sich eine kleine Rauchfahne in den Himmel empor, und Sören bildete sich ein, hinter den Fenstern das Flackern eines Feuers wahrzunehmen. Je näher er kam, desto deutlicher konnte er das Hämmern und Schlagen aus der Schmiede vernehmen.

Er war bis auf ungefähr sechzig Fuß an das Gebäude herangekommen, als plötzlich eine Tür klappte und er instinktiv hinter einem großen Kugelfender in Deckung ging. Schritte waren zu hören und Sören konnte Stimmen vernehmen, die sich langsam entfernten. Eigentlich hatte er einfach an die Tür klopfen und den Ersten, der ihm begegnete, nach General Jurjew fragen wollen, aber inzwischen waren ihm Zweifel gekommen, ob man ihm, einem Jungen, der abends auf einer Werft herumschlich, nicht mit Misstrauen begegnen würde. Nun ja, er hatte den russischen Brief dabei, aber was war, wenn niemand ihn lesen konnte? Besser war es, sich erst einmal auf dem Gelände umzusehen und festzustellen, ob sich hier tatsächlich Russen aufhielten.

Also nahm er von seinem ursprünglichen Plan Abstand und wandte sich den zum Reiherstieg hin gelegenen Helgen zu, die allesamt leer und dem Anschein nach unbenutzt, teilweise auch noch unfertig waren. Hinter einem schmalen Wall entdeckte er schließlich den mit Brettern verschalten Bauplatz, den Larssen erwähnt hatte. Es war allerdings kein richtiger Helgen, sondern vielmehr eine Mischung aus kleinem Dock und Bootshaus, vor dem er stand. Die Holzwände hatten eine Höhe von ungefähr fünfzehn und eine Länge von sechzig Fuß. Sören suchte nach einer Möglichkeit, hinter die Bretter zu spähen, aber es gab weder einen Spalt noch ein Astloch; die Wände des Bootshauses waren sehr sorgfältig gezimmert worden. Auch eine Tür konnte er in der Bretterwand nicht erkennen. Der Zugang schien allein über eine Baracke am Kopfende des Verschlages möglich. Sören schlich dorthin, presste sein Ohr vorsichtig gegen die Tür und horchte. Nicht das geringste Geräusch war zu hören. Schließlich nahm er all seinen Mut zusammen und klopfte. Erst einmal, dann ein zweites Mal lauter. Nichts rührte sich, aber die Tür gab dem Druck nach und öffnete sich mit einem unheimlichen Knarzen.

«Hallo! Ist da jemand?!», rief er und spähte durch den Türspalt. Im Halbdunkel konnte er einen Ofen und eine Werkbank ausmachen. Zwei Öllampen beleuchteten den Raum, und Sören brauchte einen Moment, bis sich seine Augen an das trübe Licht gewöhnt hatten. Leise schloss er die Tür hinter sich. Das Zimmer schien eine Mischung aus Küche, Werkstatt und Aufenthaltsraum zu sein. Überall lagen große Eisenbleche, Maschinenteile und Werkzeug herum. Schraubenschlüssel und Hämmer unterschiedlicher Größe, ölgetränkte Lappen und einige Kerzenstummel lagen auf und unter dem Tisch. Neben Kanistern und Ölkannen standen Teller mit Essensresten, halb volle Becher und Gläser und eine Vielzahl schmutziger Kleidungsstücke waren im ganzen Raum verteilt. An den Wänden hingen technische Zeichnungen, Konstruktionsblätter mit Schiffsrümpfen, Dampfmaschinen, Zahn- und Gelenkstangen sowie Objekten, die Sören noch nie zuvor gesehen hatte und nicht einordnen konnte.

Neben dem Ofen befand sich eine weitere Tür. Vorsichtshalber klopfte Sören auch hier, aber inzwischen war er sich sicher, allein zu sein. Die Neugierde hatte ihn gepackt, und obwohl er sich bewusst war, eventuell Verbotenes zu tun, trieb ihn in diesem Moment die Wissbegier mehr als die Angst, entdeckt zu werden. Das Erste, was er wahrnahm, als er die Tür öffnete, war das seichte Plätschern von Wasser. Auch dieser hintere Teil der Baracke wurde von mehreren Öllampen in diffuses Licht getaucht. Ein Blick umher verriet ihm, dass er sich in einem Übergangsraum zum Bootshaus befand. Er stand auf einer Galerie und blickte auf zwei schwimmende Pontons hinab, die mit Ketten und Ringen an großen Pollern befestigt waren. Seitlich neben den Pontons ragte ein eisernes Gerüst bis unter das Dach der Holzverschalung empor. Von den oberen Trägern dieses Gestells hingen mehrere Ketten herab, an deren Ende sich Blöcke mit Umlenkrollen befanden, von denen die Ketten wieder nach oben und von dort erneut nach unten gelenkt wurden. Sören versuchte dem schier endlosen Gewirr von Ketten und Umlenkrollen zu folgen, aber sein Blick blieb schließlich an dem Schiff hängen, das zwischen den beiden Pontons im Wasser lag. Es war ganz aus Eisen und besaß eine äußerst merkwürdige Form. Der Rumpf war lang und schmal und hatte kein Deck im herkömmlichen Sinne: Wie bei einem Fisch berührten sich die Bordwände an der Oberkante. Lediglich ein schmaler Steg verlief dort über die ganze Länge des Schiffes und endete im vorderen Bereich in einer merkwürdigen Verdickung, aus deren beiden Seiten zwei winzige Fenster wie Augen lugten.

Sören hielt den Atem an. Er hatte Vergleichbares noch nie zuvor gesehen. In Gedanken überflog er all die Schiffsbücher, die er in den letzten Jahren studiert hatte. Nein, so etwas war nirgendwo abgebildet oder beschrieben gewesen. Seine Hand umklammerte das Geländer der schmalen Eisentreppe, die zu den Pontons herunterführte. Den Blick auf das Schiff gerichtet ging er Stufe für Stufe herab. Trotz der sommerlichen Temperaturen fröstelte ihn. Nur wenig Licht drang durch die schmalen Luken in der Balkendecke. Zum Reiherstieg hin war der Unterstellplatz, wie Sören jetzt erkannte, mit zwei hölzernen Toren abgeschottet. Man konnte also auch von der Wasserseite nicht hereinschauen. Er zitterte am ganzen Körper. Als er schließlich neben dem Schiff auf einem der Pontons stand, stellte er fest, dass es größer und vor allem höher war, als er zuerst angenommen hatte. Er konnte nicht über den Rumpf hinwegschauen; dabei ragte er bestimmt nur zur Hälfte aus dem Wasser. Vorsichtig, fast ehrfürchtig glitt seine Hand über die eiserne Oberfläche des Rumpfes, die über und über mit Schrauben, Bolzen und Nieten besetzt war. Er klopfte gegen das Eisen – es klang hohl. Ein klirrendes Geräusch über ihm ließ Sören zusammenzucken. Einer der Rollenblöcke schlug gegen das Ende der Kette. Erst jetzt bemerkte er die Eisenhaken, an denen das Schiff hing. Mit Hilfe der Ketten und Rollen konnte man den Rumpf wahrscheinlich ganz aus dem Wasser heben. Wie schwer es wohl sein mochte? Sören schritt den Ponton ab. Über eine Strecke von mehr als dreißig Fuß ragte der Rumpf aus dem Wasser. Das Ruderblatt am Ende des Schiffes hatte zur Mitte hin eine Aussparung, in der Sören zwei Antriebsschrauben unterschiedlicher Größe erkennen konnte. Vorne und hinten gab es auf jeder Seite weitere Ruderblätter, die an quer zur Schiffsrichtung herausragenden Eisenstangen befestigt waren. Abermals betastete er die eisernen Wände und versuchte, durch die Scheiben zu spähen, aber er konnte nichts sehen. Wie kam man da herein? Sören stieg wieder hinauf zur Galerie und holte sich eine der Öllaternen. Nachdem er den ganzen Rumpf abgeleuchtet hatte, entdeckte er auf der Oberseite kurz hinter der Verdickung, die sich als Wulst nach hinten fortsetzte, den Einstieg. Es war eine runde Eisenluke, ein von außen und wohl auch von innen verschraubbarer Deckel. Das Herz klopfte Sören bis zum Hals und seine Hände waren vor Aufregung ganz feucht. Sollte er es wagen? Die Versuchung war einfach zu groß. Er zwängte sich durch die Luke und krabbelte über eine schmale Leiter ins Innere des Schiffes hinab. Das Erste, was er im Schein der Laterne erkennen konnte, noch bevor seine Füße den Boden erreicht hatten, waren unzählige Zahnstangen und Eisenwellen, die auf den ersten Blick den gesamten Rumpf auszufüllen schienen. Als er neben der Leiter stand, fiel ihm auf, dass er gerade eben aufrecht stehen konnte, ohne gegen die Decke zu stoßen. Ein schmaler Gang führte nach vorne zum Steuerstand, den Sören zwischen den kleinen Fenstern ausmachen konnte. Das Schiff hatte nicht ein, sondern gleich drei Steuerräder. Vorsichtig schlich Sören nach vorne. Seine Angst hatte er inzwischen völlig vergessen, und mutig drehte er an der Kurbel des kleinen Steuerrades auf der Backbordseite. Ein lautes, metallisch quietschendes Geräusch ertönte, und Sören verfolgte fasziniert die sich um ihn herum drehenden Wellen und Zahnkränze. Dann hörte er Wasser gegen die Bordwand schwappen und erschrak. Schnell ging er zurück zum Ausstieg und warf von dort noch einen Blick in den hinteren Teil des Schiffes. Da war eine richtige Dampfmaschine. Sören betrachtete den Kessel. Für die Länge des Schiffes hatte er imposante Ausmaße. Langsam stieg er die Leiter hinauf und krabbelte durch die Luke an Deck. Der Boden unter seinen Füßen schwankte und die eisernen Ketten über ihm klirrten verräterisch. Mit einem Sprung landete er auf dem Ponton. Er lief die Galerie hinauf, um das Schiff noch einmal von oben zu betrachten. Ihm wurde bewusst, dass er sich nun schon geraume Zeit in dem Bootshaus aufhielt. Draußen dämmerte es schon. Und sosehr ihn das seltsame Schiff faszinierte – wofür waren zum Beispiel die seitlich am Rumpf angeordneten Ruder gut? –, er machte besser, dass er fortkam.

Er ging hinaus auf den Hof und bog gerade um die Ecke, als ihn unvermittelt der Schein einer Laterne traf.

«He du! Wer bist du?! Was machst du da, Bürschchen?!»

Sören wurde vom Licht geblendet und wagte nicht, sich zu rühren.

«Was treibst du dich hier rum? Das ist verboten!»

Sören nickte schuldbewusst. «Ich, ich weiß», stotterte er verlegen. «Aber es war niemand da.» Schließlich besann er sich seines ursprünglichen und eigentlichen

Vorhabens. «Ich, ich habe eine Nachricht», stammelte er. «Eine wichtige Botschaft für General Jurjew – er arbeitet doch hier, oder?»

«General Jurjew?!», fragte sein Gegenüber, und es klang eher belustigt. «Auch wenn man mich einmal befördern sollte – General werde ich so schnell nicht.»

«Sie sind Jurjew?», fragte Sören ungläubig. «Kein Russe?» Er konnte das Gesicht des Mannes noch immer nicht erkennen.

«Doch doch. Ganz und gar Russe. Ingenieurmechaniker Jurjew aus Kronstadt. Aber ich bin Oberleutnant, kein General. Bei der Marine gibt es keine Generäle.» Jurjew senkte den Lichtstrahl auf den Boden, und Sören konnte endlich sein Gesicht erkennen. Trotz der dunklen Ränder um die Augen sah der Mann nicht gefährlich aus.

«Ich dachte ja nur ... weil Sie kein Russisch sprechen», sagte er stockend. Er ärgerte sich, dass er Jurjew als General bezeichnet hatte. Natürlich kannte er die Rangabzeichen der Marine auswendig. Aber woher sollte er wissen, dass Jurjew Soldat bei der Marine war! Irina hatte den Rang einfach nicht übersetzen können.

Jurjew lächelte ihn an. «Sprichst du denn Russisch?» Sören schüttelte verlegen den Kopf.

«Siehst du», erklärte Jurjew. «In Hamburg versteht man kein Russisch. Warum sollte ich also Russisch sprechen? Aber jetzt zu dir! Du sagst, du hast eine Nachricht für mich?»

Sören nickte.

«Das sollte mich wundern», erklärte Jurjew. «Kaum jemand weiß, dass ich hier arbeite.»

«Doch, doch», entgegnete Sören, der die Angst des ersten Augenblicks überwunden hatte. Jurjew machte auf ihn nicht den Eindruck, als wolle er ihm etwas zu Leide tun. Außerdem hätte Sören es bestimmt mit ihm aufnehmen können. Sein Gegenüber reichte ihm gerade bis zur Schulter und wirkte nicht gerade kräftig. Sören schätzte ihn auf Ende dreißig. «Ich soll Ihnen ausrichten», begann er und versuchte, den für ihn selbst unverständlichen Inhalt der Nachricht aus der Erinnerung wiederzugeben: «Wenn man Wasser in Gläsern trägt, dann ist es leichter, als wenn man es ohne Gläser trägt.»

Jurjew blickte ihn mit großen Augen an. «Was soll das?», fragte er. «Ich verstehe nicht.»

Sören wollte gerade den Zettel aus der Hosentasche ziehen, weil er vermutete, Irina könnte ihm auch das falsch übersetzt haben, als ein weiterer Mann aus einem anderen Schuppen kam.

«He, Jurjew! Mit wem redest du da?! Wer ist das?!» Der Mann kam aufgeregt näher.

«Ich habe den Jungen hier entdeckt!», antwortete Jurjew und leuchtete Sören erneut mit der Lampe an. «Sagt, er habe eine Nachricht für mich!»

Der andere Mann hielt ebenfalls eine Laterne in der Hand, die er nun auf Sören richtete. «Den kenne ich von Larssens Werft!», rief er schließlich und leuchtete ihm genau ins Gesicht. «Einer der Zimmerleute hat ihn immer mitgebracht! Der ist harmlos!» Sören schlug eine Schnapsfahne entgegen. «Was für eine Nachricht denn, hä?» Der Mann griff nach Sörens Schulter und schüttelte ihn grob. «Gib's zu, du kleiner Schnüffler. Du wolltest deine Nase in Dinge stecken, die dich nichts angehen, stimmts?! Oder hat dich Larssen geschickt!?»

Sören wand sich mit einer geschickten Körperdrehung aus dem Griff des Mannes. «Nein!» Er fasste in die Hosentasche und hielt Jurjew den Zettel hin. «Hier! Hier steht's doch. Bitte lesen Sie doch selbst!»

Jurjew griff nach dem Brief und hielt die Laterne höher, sodass Sören das Gesicht des anderen Mannes erkennen konnte. Er hatte den Kerl häufiger bei Larssen auf der Werft gesehen. Nach dem Gespräch, das er belauscht hatte, konnte es sich nur um Passen handeln. Jurjew überflog die Zeilen, dann schlug er sich mit der flachen Hand vor die Stirn. Passen machte mit gereizter Miene einen Schritt auf Sören zu, aber Jurjew streckte die Hand aus. «Warte mal – der Junge hat Recht!»

Passen drehte sich abrupt um. «Was heißt, er hat Recht?!»

«Karascho. Die Nachricht stammt von Jewgenij!», erklärte Jurjew. «Und wir sind Idioten!» Er schlug sich erneut gegen die Stirn.

«Bist du jetzt übergeschnappt?», fragte Passen.

«Überhaupt nicht!», erklärte Jurjew. «Aber Jewgenij hat uns noch ein Abschiedsgeschenk gemacht – er ist doch ein Genie. Das ist die Lösung, wie wir das Wasser in dem Ballasttank unter Kontrolle bekommen.» Er schlug Sören anerkennend auf die Schulter. «Du ahnst gar nicht, was du uns da mitgebracht hast!»

«Von Jewgenij? Jewgenij ist längst in Amerika!», dröhnte Passen.

«Dann lies es doch selbst!» Jurjew hielt Passen den Brief unter die Nase.

«Du weißt genau, dass ich das nicht lesen kann!», schnaubte Passen ärgerlich.

«Dann red nicht! Komm mit! Ich zeig's dir!» Jurjew wandte sich Sören zu. «Du hast uns viele Wochen Arbeit erspart. Komm!», forderte er ihn auf.

Gemeinsam gingen sie in den Schuppen, aus dem

Passen gekommen war, Passen voran, leise vor sich hin-
fluchend. Darin befand sich eine Art Aufenthaltsraum.
Jurjew schob einen Tisch beiseite und kramte aus einer
Ecke eine flache Eisenwanne hervor. Er suchte ein paar
Gläser zusammen, stellte sie auf den Boden der Wanne
und füllte sie mit Wasser. Mit einem strahlenden Lächeln setzte er sich auf einen Stuhl, griff nach einer Flasche auf dem Tisch und zog den Korken mit den Zäh-
nen heraus. «Bitte! Wer möchte?!» Jurjew deutete auf
das provisorische Tablett auf dem Boden und nahm einen kräftigen Schluck. Sören und Passen starrten ihn
verständnislos an. Jurjew grinste. Schließlich meinte er
zu Sören gewandt: «Also los! Komm schon! Nimm das
Tablett und trag es zum Tisch!»

Sören zögerte und blickte zur Tür. Es wäre ein Leich-
tes gewesen, jetzt einfach davonzulaufen. Andererseits
– die Situation wirkte nicht bedrohlich. Nun gut, Passen war angetrunken und machte auf ihn einen eher un-
berechenbaren Eindruck. Außerdem war er groß und
kräftig, und Sören hätte ihm nichts entgegenzusetzen
gehabt. Aber Sören hatte sich nichts wirklich zuschul-
den kommen lassen, und wie es den Anschein hatte, bestimmte Jurjew hier das Geschehen. Sören ging zum
Tablett, hob es vorsichtig vom Boden auf und trug es
zum Tisch, wo er es ebenso vorsichtig absetzte.

«Bravo!» Jurjew schlug sich mit beiden Händen auf
die Oberschenkel. «War das irgendwie schwierig?», fragte er, aber es klang nicht so, als wenn er wirklich eine
Antwort erwartete. Er erhob sich und begann, während
er belustigt eine Melodie trällerte, den Inhalt der Gläser eins nach dem anderen auf dem Tablett zu entleeren. Als er fertig war, setzte er sich wieder, nahm abermals einen Schluck aus der Flasche und deutete erneut

auf das Tablett. «Und jetzt bring es wieder zurück!», forderte er Sören auf.

Noch bevor er das Tablett in den Händen hielt, ahnte Sören, was geschehen würde. Langsam platzierte er beide Hände am Rand des Tabletts und versuchte, das Gewicht auszubalancieren. Behutsam hob er die Wanne an und drehte sich, aber bereits nach dem ersten Schritt begann das Wasser auf die eine Seite zu laufen. Er versuchte die Bewegung des Wassers auszugleichen und senkte das Tablett auf der anderen Seite, worauf das Wasser sofort unkontrollierbar über den Rand auf den Boden schwappte. Sören ließ das Tablett fallen und sprang beiseite. Jurjew sprang ebenfalls auf und begann inmitten der Wasserlache zu tanzen und lauthals zu singen.

Sören starrte den Russen fassungslos an. Er warf einen Blick zu Passen, dem die Situation anscheinend ebenso verdächtig vorkam. Jurjew nahm die halb volle Flasche vom Tisch, leerte sie mit einem einzigen Zug und fragte: «Verstanden?»

«Ich verstehe nur, dass du anscheinend zu viel Wodka getrunken hast», antwortete Passen und tippte sich mit dem Finger an die Schläfe.

«Denk doch mal nach, Passen!», rief Jurjew. «Nicht ein großes Reservoir! Viele kleine Kammern! *Das* wollte uns Jewgenij sagen. Wenn wir das Wasser zum Abtauchen einlassen, müssen wir es in viele kleine Kammern lassen, dann kann es nicht mehr herumschwappen und das Schiff auf die Seite legen!»

Sören begriff nicht, wovon die Rede war. Er hatte gerade eben genau das vorgeführt, was in dem Brief stand. Er hatte demonstriert, dass sich Wasser in Gläser gefüllt leichter transportieren ließ, als wenn es auf ein Tablett gegossen wurde. Das verstand doch jedes Kind. Wieso diese Freude und dieser Jubel? Und wieso sprach Jurjew von tauchen? Sollte das Schiff etwa unter Wasser fahren?

Passen schien schlagartig nüchtern zu sein. «In Ordnung», meinte er, nahm eine der Konstruktionszeichnungen, wie sie auch hier an den Wänden hingen, und breitete das Blatt auf dem Tisch aus. «Wir können hier und hier Kammern einbauen.» Auch Jurjew beugte sich über die Zeichnung. Keiner von beiden schien mehr Notiz von Sören zu nehmen. Wahrscheinlich hätten Passen und Jurjew es in diesem Moment gar nicht bemerkt, so sehr waren sie in die Arbeit vertieft, aber die Sache war viel zu interessant, als dass sich Sören jetzt davonmachen konnte. Er lauschte aufmerksam dem Gespräch.

«Wir müssen die Wassermengen auf die richtigen Bereiche verteilen. Am besten leiten wir sie gleich nach dem Eintritt in unterschiedliche Kanäle …»

«Oder wir bauen mehrere Öffnungen», entgegnete Jurjew. «Vielleicht sollten wir einfach einen Gitterrost in die Kammer einsetzen?»

«Nein, wir müssen die Höhe der Flutkammern ändern!»

«Ich denke, wenn wir sie schmal halten, wird sich keine Wellenbewegung einstellen. Schau mal!» Jurjew deutete auf die Zeichnung und zog mit dem Finger mehrere imaginäre Linien. «Bei allen bisherigen Tauchversuchen hat sich das Schiff unter Wasser nicht langsam, sondern ganz plötzlich auf die Seite gelegt und war nicht mehr zu steuern. Über Wasser lag es hingegen ganz ruhig. Also muss sich in der Kammer eine Welle gebildet haben, die von innen gegen die Bordwand drückte …»

«Spätestens, wenn sich die … Nein, du meinst also, wenn wir es mit vielen kleinen Wellen zu tun haben, stellt sich das Phänomen nicht ein?»

«Genau!», entgegnete Jurjew.

Sören hatte genug gehört und überlegte nun, wie er am elegantesten den Rückzug antrat. Er setzte ein gelangweiltes Gesicht auf und sagte: «Ich verstehe überhaupt nicht, worum es hier geht. Ich glaub, ich geh lieber nach Hause.»

Passen und Jurjew drehten sich gleichzeitig um und starrten Sören an.

«Was machen wir jetzt mit ihm?», fragte Passen leise, und Sören zuckte unmerklich zusammen.

«Gar nichts.» Jurjew musterte Sören eindringlich. «Er hat sich eine Belohnung verdient – wie heißt du überhaupt, Junge?»

An die Belohnung hatte Sören vor lauter Aufregung gar nicht mehr gedacht. Und so, wie die beiden ihn jetzt anblickten, war ihm richtig mulmig zu Mute. «Sören», flüsterte er schluckend.

«Sören. Gut. Also hör mal, Sören …» Jurjew versuchte, ein freundliches Gesicht zu machen. «Du hast nichts von dem gehört, was wir hier besprochen haben. Du kannst doch ein Geheimnis für dich behalten, oder?» Er blickte Sören prüfend an.

«Du weißt doch, was mit Leuten geschieht, die Geheimnisse verraten, nicht wahr?», fügte Passen mit drohendem Tonfall hinzu, aber Jurjew legte ihm beschwichtigend die Hand auf den Rücken. «Ich glaube, das weiß er.»

«Was für ein Geheimnis denn?», antwortete Sören mit zittriger Stimme.

Jurjew nickte zufrieden.

«Und die Belohnung …»

«Ich will gar keine Belohnung», fiel Sören ihm ins Wort. «Ich will nach Hause.»

«Ja, das kann ich mir vorstellen», meinte Passen. «Jungs in deinem Alter gehören längst in die Koje. Es geht ja schon auf elf. Wissen deine Eltern eigentlich, wo du dich so rumtreibst?»

Sören merkte am Tonfall, dass es Passen gleich war, ob seine Eltern sich um ihr Kind sorgten; er wollte nur wissen, ob jemand Sörens Aufenthaltsort kannte. Was auch immer er antworten würde – Sören steckte in der Bredouille. Aber hatte Passen nicht selbst vorhin zu Jurjew gesagt, der Junge sei harmlos? Sören entschloss sich, bei der Wahrheit zu bleiben. Er setzte eine Miene auf, als könne er kein Wässerchen trüben, und sagte treuherzig: «Nee! Aber wenn ich nicht bald zurück bin, werden sie sich bestimmt Sorgen machen.»

«Das glaube ich auch.» Passen verzog die Mundwinkel zu einem drohenden Grinsen. «Hau schon ab! Und halt die Klappe.»

«Kein Wort!», versprach Sören und schlüpfte durch die Tür.

Sören war immer noch vollkommen aufgeregt, als er eine gute halbe Stunde später durch den Hintereingang von Hellweges Haus am Wandrahm schlich.

«Und? Was war nun?», fragte Martin, der aus Angst um seinen Freund kein Auge zugetan hatte.

«Ob du's glaubst oder nicht», begann Sören atemlos, während er sich flink auszog und ins Bett krabbelte. «Ich war auf einem Schiff, mit dem man unter Wasser fahren kann. Ganz aus Eisen.»

Martin tippte mit dem Finger gegen die Stirn. «Aus

Eisen. Natürlich. Unter Wasser. Aha.» Er warf Sören einen spöttischen Blick zu. «Und bestimmt konnte das Schiff auch fliegen. Hab ich mir doch gleich gedacht, dass du gar nicht drüben warst!» Sören wollte protestieren, aber Martin zog sich die Bettdecke bis zum Hals und drehte sich demonstrativ auf die andere Seite. «Und morgen», murmelte er, «fliegen wir auf den Mond. Gute Nacht!»

～ Geld, Macht und Fürsorge ～

*D*as Kleid stand ihr ausgezeichnet. Auch wenn Hendrik wie üblich den Mund nicht aufbekam, so erkannte Clara doch an seinem Blick, dass es ihm so gut gefiel wie ihr selbst. Claras schlanke Figur trug ein Übriges dazu bei. Ihr volles weißblondes Haar brachte den roten Seidentaft, der am Ausschnitt und an den Ärmeln mit weißer Spitze abgesetzt war, besonders zur Geltung. In Hendriks Augen war sie kaum gealtert. Es lag wahrscheinlich an den Sommersprossen, die ihr Gesicht immer so jugendlich erscheinen ließen und in die Hendrik nach wie vor vernarrt war.

Seine eigene Aufmachung hatte er anfänglich mit Skepsis betrachtet. Clara hatte ihm den schwarzen Anzug und eine rote Schärpe mit passendem Seidenschal herausgelegt. Er mochte diese Kostümierung nicht, erklärte sich aber um des lieben Friedens willen schließlich doch damit einverstanden. Die Schärpe hatte Clara aus dem restlichen Seidentaft genäht. Sie war der Meinung, es würde hervorragend zu ihrem Kleid passen. Jeder würde auf den ersten Blick erkennen, dass sie zusammengehörten, und außerdem sollte jedes Utensil, das Hendrik als Commissarius ausgezeichnet hätte, heute Abend sowieso im Schrank verbannt bleiben.

Hendrik wagte nicht zu widersprechen, obwohl er Claras Argumente unsinnig fand. Auch wenn er nur eine vage Vorstellung davon hatte, wer heute Abend alles anwesend sein würde – jeder wusste, dass er Polizist war.

Als sie das Haus verließen, lächelte er in sich hinein. Clara hatte sich eine gehäkelte Pelerine übergeworfen und trug Handschuhe, die ihr bis zu den Ellenbogen reichten, was Hendrik angesichts der sommerlichen Temperaturen als modische Albernheit empfand. Wie sich ihr Wesen doch verändert hatte. Noch vor wenigen Jahren wäre es ihr nicht in den Sinn gekommen, sich einer aktuellen Mode zu unterwerfen. In solchen Augenblicken vermisste Hendrik die fast rebellischen Züge, die Clara in ihren Jugendjahren zu Eigen gewesen waren. Nun ja, wie er erfahren hatte, konzentrierte sich ihr Aufbegehren gegenwärtig auf andere, durchaus grundlegendere Bereiche. Für einen kurzen Moment dachte Hendrik erneut darüber nach, ob Claras Idee, für Godeffroy nach Australien zu fahren, wirklich ernst gemeint war; dann schluckte er den Gedanken herunter.

Als sie nach wenigen Minuten den Alten Wandrahm erreicht hatten, stellten sie erleichtert fest, dass es, obwohl unschicklich, die richtige Entscheidung gewesen war, den kurzen Weg von ihrem Domizil zu Fuß zu gehen. Der ganze Straßenzug war auf beiden Seiten mit Droschken und vornehmen Cabriolets unterschiedlicher Größe zugeparkt. Dem Zulauf nach zu urteilen war die Veranstaltung alles andere als eine intime Soiree. Aber die hatte Hendrik auch nicht wirklich erwartet; nicht im Hause Merck.

Louise Merck begrüßte die beiden mit einem unverbindlichen «Ich freue mich, dass Sie gekommen sind!», dann wandte sie sich schon den nächsten Ankömmlingen zu, die bereits Schlange standen. Zwischendurch kommandierte sie die Hausangestellten ihres Schwagers Ernst, als wäre sie selbst Herrin des Hauses, mit französischem Vokabular umher. Sie genoss es sichtlich, an diesem Abend Schirmherrin und Gastgeberin zugleich zu sein.

Hendrik schaute sich erwartungsvoll um. Eigentlich hätte Henny Hellwege längst eine ihrer gefürchteten Attacken reiten müssen. Eine solche Gelegenheit ließ sie sich für gewöhnlich nicht entgehen, und Hendrik war darauf gefasst, jeden Moment von ihrer kreischenden Stimme durchdrungen zu werden – aber zu seiner Überraschung geschah nichts dergleichen. Nachdem Clara ihre Pelerine an der Garderobe abgegeben hatte und ein Mädchen den beiden die obligatorischen Sektkelche von einem Tablett gereicht hatte, gingen sie weiter in die große Halle. Hendrik bestaunte den Wandschmuck. Merck hatte das Haus im Inneren vor einigen Jahren vollständig umbauen lassen. Repräsentative Gesichtspunkte hatten dabei eindeutig im Vordergrund gestanden. Ausstattung und Einrichtung erinnerten, wie Hendrik fand, mehr an ein vornehmes Hotel als an ein Wohnhaus. Auch wenn allgemein bekannt war, dass Merck jede Form von Luxus liebte und genoss, fragte sich Hendrik doch, wie man in einem solchen Gemäuer leben konnte. Aber das Haus passte zu Merck, dessen Auftreten stets von einer gehörigen Portion Eitelkeit bestimmt war. Auch heute Abend trug er einen mit Orden und Auszeichnungen behangenen Uniformrock, zuoberst den Orden, der ihn als österreichischen Freiherrn auswies. Diesen Titel hatte ihm der Kaiser als Dank dafür verliehen, dass Mercks Bankhaus die Finanzierung der Eisenbahnlinie zwischen Wien und Salzburg gesichert hatte. Wenn ein Hamburger Kaufmann förmlich im Geld schwamm und das auch zeigte, dann Ernst

Merck. Aber Hendrik wusste aus mehreren Gesprächen mit ihm, dass sich hinter dieser Fassade kein selbstgefälliges Wesen, sondern ein durchaus kritischer und kämpferischer Geist verbarg. Vor allem die Interessen der Stadt wusste, zumindest nach außen hin, kaum jemand besser als Merck zu vertreten.

Während er nach rechts und links grüßte, grübelte Hendrik über Sinn und Zweck dieser Veranstaltung. Natürlich sollte hier augenfällig demonstriert werden, dass man trotz allen Reichtums die Verantwortung und Fürsorge für die schwächsten Mitglieder der Gesellschaft nicht vergaß, und jeder hier sonnte sich gern im Bewusstsein eigener Barmherzigkeit. Alles von Rang und Namen schien versammelt. Hendrik bezweifelte allerdings, dass mehr als ein Dutzend mildtätige Stifter unter den Anwesenden waren. Hätte auch nur die Hälfte der hier anwesenden Gäste am Waisengrün Geld in die Klingelbeutel der Kinder gesteckt, man hätte sicherlich ohne Schwierigkeiten ein weiteres Waisenhaus errichten können. Es mussten also andere Kriterien die Gästeliste bestimmt haben.

Der große Festsaal, der sich nun langsam füllte, war opulent ausstaffiert. Hendrik schätzte die Anzahl der Gäste auf über zweihundert. Für die Älteren hatte man drei Reihen Stühle im vorderen Teil des Saales bereitgestellt. Hendrik und Clara wählten einen Standort seitlich vor einer Wandnische. Von hier hatte man einen hervorragenden Blick über den ganzen Saal und stand gleichzeitig abseits der Durchgangswege, was den Vorteil hatte, die Rituale der Begrüßung mangels Platz auf ein einfaches Kopfnicken beschränken zu können. Am Ende der Stuhlreihe vor ihnen saßen Ernst Gossler und Johann Schröder, der Senior des gleichnamigen Bankhauses, den man auf Grund seines Alters nur noch selten in der Öffentlichkeit sah. Hendrik konnte fast jedes Wort der Unterhaltung mithören. Der alte Schröder, er musste um die achtzig sein, war stark schwerhörig, und Gossler hatte trotz des Hörrohres, das Schröder ans Ohr hielt, Mühe, gegen die Lautstärke im Saal anzubrüllen.

«Heißt das, Sie wollen mir von dem Vorhaben abraten?», fragte Ernst Gossler gerade und blickte Schröder erstaunt an.

«Nein, mein Guter. Ich will nur zum Ausdruck bringen, dass Sie sich auf einiges gefasst machen müssen, wenn Sie ein Wohnstift dieser Größenordnung errichten wollen. Sicher, Ihr Vorhaben wird man begrüßen, aber glauben Sie nicht, dass man Ihnen ein Mitspracherecht anbietet, was die Lage des Stifts betrifft. Ich weiß, wovon ich spreche.»

Hendrik konnte nur erahnen, worum genau es bei dem Gespräch ging, aber es klang interessant. Der alte Schröder war zwar nicht der Erste gewesen, der einen Teil seines Vermögens im großen Stil einer mildtätigen Stiftung hatte zukommen lassen, doch das vor mehr als zehn Jahren nach ihm benannte Schröderstift – gelegen im Papenland zwischen Rotherbaum und Eimsbüttel – hatte alle bisher erbauten Wohnstifte in den Schatten gestellt. Zudem erinnerte die Bauform des Gebäudes mit seinen drei Flügeln mehr an eine Residenz als an eine Armenwohnstätte.

«Soll das heißen, ich darf den Bauplatz nicht selbst bestimmen?», fragte Gossler ungläubig.

Schröder lächelte, als habe er die Frage nicht verstanden. «Doch, doch.» Er nickte bedächtig. «Wenn Sie die Stiftung in Ihrem Garten errichten wollen, wird auch der Senat kaum eine Möglichkeit finden, das zu verhindern. Aber wollen Sie das?»

«Welche Frage. Natürlich nicht.»

«Sehen Sie. Ich ... das heißt, meine Gattin und ich, wir hatten uns für die Stiftung damals, das war noch in den vierziger Jahren, ein hübsches Grundstück an der Chaussee beim Rothenbaum ausgesucht. Das Johannis-Kloster, dem die dortigen Ländereien gehörten, war bereit, das Grundstück zu verkaufen ...»

«Aber?»

«Der Senat untersagte dem Kloster den Verkauf. Angeblich sollte das dortige Gebiet nicht bebaut werden. Heute weiß ich natürlich, warum das geschah. Zur gleichen Zeit planten und bauten einige Senatoren ihre ersten Landhäuser am Ufer der Alster, und man wollte natürlich kein Armenstift in der unmittelbaren Nachbarschaft haben. Also bot man uns einen Bauplatz in der Vorstadt, nahe dem St.-Georgs-Hospital an, wo bereits viele Stiftungen beheimatet waren. Aber das Grundstück war viel zu klein, denn wir wollten ja keine Buden bauen, wie Hesse und Wetken sie errichtet hatten. Hätte der Senat damals bereits gewusst, wie schnell die Stadt sich nach Öffnung der Tore ausdehnen wird, hätte man mir selbst den jetzigen Standort verwehrt ...»

Das Klingeln einer Glocke beendete die Unterhaltung, von der Hendrik gern mehr mitbekommen hätte. Es war immer dasselbe mit dem Gemeinwohl und den Partikularinteressen – damals wie heute. Daran würde sich wohl auch in Zukunft nichts ändern. Etwas Genugtuung empfand Hendrik nur deswegen, weil es hier ausnahmsweise einmal keinen Armen getroffen hatte.

Das ‹kleine Ensemble›, von dem Louise Merck in ihrer Ankündigung gesprochen hatte, erwies sich als ein veritables Orchester. Nach einem weiteren Klingelzeichen kehrte Ruhe ein, und der Dirigent trat vor die Musiker auf der Bühne.

«Das ist Brahms», flüsterte Clara, aber Hendrik zuckte unwissend mit den Schultern. «Der Komponist selbst. Er hat sich in der Stadt um die Leitung der Philharmonischen Gesellschaft beworben – leider vergebens», klärte Clara Hendrik auf. «Erstaunlich, dass er noch hier ist.»

Die Musiker begannen zu spielen, und Hendrik fragte sich, woher Clara den Komponisten kannte. Dann fiel ihm ein, dass sie zusammen mit Henny häufiger Konzerte der Philharmonischen Gesellschaft besuchte. Bei diesem Gedanken spähte er vorsichtig ins Publikum. Henny hatte sich immer noch nicht blicken lassen. Und er konnte sie auch jetzt nirgends erkennen. Nun, er würde sie nicht vermissen.

«Fangen sie jetzt wieder von vorne an?», flüsterte Hendrik nach einer Weile.

«Nein», zischte Clara. «Er kehrt zum Thema zurück.»

«Ah, ja?» Hendrik wusste nicht, um was für ein Thema es ging, und weil er nicht die leiseste Ahnung von Musik hatte, beschloss er, besser zu schweigen. Da sie standen, lief er nicht Gefahr einzuschlafen, was häufiger geschah, wenn er mit Clara einer Theateraufführung beiwohnte. Also beobachtete er das Publikum und stellte sich dann vor, was für Folgen es hätte, wenn dem Dirigenten während des Konzerts eine Maus ins Hosenbein krabbelte.

Nach etwa einer halben Stunde hatten die Musiker zu Hendriks Zufriedenheit beschlossen, nicht nochmals zum Thema zurückzukehren. Aus dem einsetzenden

Beifall des Publikums schloss er, dass die Vorführung nun wohl zu Ende war. Der Dirigent verbeugte sich, und die Gäste konnten sich nach dem Applaus wieder einander selbst zuwenden.

«Meine liebe Clara! Wie schön, Sie hier zu treffen.» Ferdinand Laeisz nickte Hendrik freundlich zu, dann verbeugte er sich vor Clara. «Ist er nicht phantastisch? Glauben Sie mir, ich habe wirklich alles im Ausschuss der Gesellschaft versucht, aber man hat mir kein Gehör geschenkt. Dabei ist Brahms ein wirklicher Meister seines Faches. Die Art, wie er nach den Ausflügen das Thema wieder aufgreift, einfach einmalig. Er nennt es: Idee für eine Hamburger Sinfonie. Ich hoffe, er wird zu einem späteren Zeitpunkt die ihm zustehende Anerkennung erhalten.»

Clara nickte zustimmend.

«Wirklich tragisch – aber ich finde es bemerkenswert, dass Louise Merck ihn für den heutigen Abend gewinnen konnte ...»

Zu seinem Entsetzen sah Hendrik, wie Henny Hellwege sich einen Weg durch die Menge bahnte und genau auf sie zukam. Für einen diskreten Rückzug war es bereits zu spät. Zumindest die Begrüßung musste Hendrik über sich ergehen lassen. Henny sah wieder einmal umwerfend aus – im wahrsten Sinne des Wortes, wie Hendrik fand. Das Kleid, das sie trug, konnte ihre üppigen Körperformen nur bedingt kaschieren, aber das war anscheinend auch gar nicht beabsichtigt. Ihr Dekolleté war mehr als gewagt, die Perlenkette so opulent wie der Körperteil, den sie schmückte; und das Auftürmen und Fixieren der Frisur musste Henny den halben Nachmittag gekostet haben. Er hatte ihre Stimme bereits im Ohr, bevor sie nur einen Ton gesagt hatte.

«Huhh, hier seid ihr – seid mir gegrüßt, ihr Lieben! Ich habe gerade noch das Allegro mitbekommen, wie ärgerlich. Erzählt, was habe ich verpasst? So etwas Peinliches, aber denkt nur, wir konnten keinen Parkplatz finden. Bis zur Wandrahmsbrücke mussten wir fahren und von dort zu Fuß laufen – wie unschicklich. Hoffentlich hat uns niemand auf der Straße gesehen ...»

«Na, da wäre es von eurem Haus aus ja näher gewesen», unterbrach Hendrik ihren Redefluss, worauf er von Clara unauffällig in den Arm gekniffen wurde. Im Unterschied zu Henny hatte sie den sarkastischen Unterton natürlich herausgehört.

«... Man weiß ja heutzutage gar nicht mehr, was sich hier alles herumtreibt», setzte Henny ungerührt fort. «Also früher, da war dies ja eine gehobene Wohngegend, aber heute ...»

«Jetzt übertreibst du aber, Henriette.» Christian Hellwege hatte sich von allen unbemerkt der Gruppe angeschlossen und legte seiner Frau mäßigend die Hand auf die Schulter, bevor sie auch mit dem zweiten Bein im Fettnäpfchen stand. Schließlich waren auch Clara und Hendrik gerade erst in die Nachbarschaft gezogen, auch wenn der Holländische Brook nicht unbedingt als erste Adresse galt.

«Aber Sie haben ganz Recht», entgegnete Laeisz und versuchte auf seine Art, die Situation zu entschärfen. «Immer mehr alte Hamburger Familien ziehen sich in ihre Landhäuser zurück. Bis jetzt nur im Sommer – wer kann es ihnen schon verdenken, bei all den Gerüchen, die vom Hafen und den Betrieben herüberziehen – aber es ist nur eine Frage der Zeit, bis sie ihre Stadthäuser im Wandrahmviertel aufgeben werden. Lutteroths trifft man beispielsweise kaum mehr an.»

«Wie aus dem Herzen gesprochen.» Henny warf Ferdinand Laeisz einen verständnisinnigen Blick zu. «Sie haben ja so Recht, mein lieber Laeisz!»

Die Worte des Reeders hatten Hendrik aufhorchen lassen. Die Arbeit hatte ihn eingeholt. Natürlich war sich Laeisz der Gewichtigkeit des Gesagten nicht bewusst, er konnte schließlich nicht wissen, was Hendrik seit Tagen beschäftigte, aber es traf die Sache im Kern. Für Hendrik stand außer Frage, dass der Rückzug einiger alteingesessener Familien aus dem Wandrahmviertel im Zusammenhang mit den Vorgängen auf dem Großen Grasbrook stand. Wer konnte zu diesem Zeitpunkt bereits wissen, wie schnell sich die Hafenanlagen weiter ausbreiten würden? Es war nicht zu übersehen, dass die großen Stadthäuser entlang des Wandrahms langsam verwaisten. Zumindest den Sommer über waren meist nur noch die Hausangestellten anzutreffen, während die Familien vieler Senatoren diese Zeit ausschließlich in den Landhäusern jenseits der Stadtgrenze oder im Alstervorland verbrachten. Seitdem sich die Stadt nach Öffnung der Tore aber weiter ausgedehnt hatte, hatten viele der großen Villen ihren ursprünglichen Charakter einer Sommerresidenz längst verloren. Einige Familien lebten bereits das ganze Jahr über in diesen Anwesen, die in der Regel viel großzügiger angelegt waren als die Stadthäuser. Zumindest denjenigen, die die zukünftige Entwicklung auf dem Grasbrook kannten, die auf Grund ihrer eigenen politischen Entscheidungen ahnten, was dem Wandrahmviertel in den nächsten Jahren bevorstand, konnte es nicht schwer fallen, diesen Standort aufzugeben und gänzlich fortzuziehen. Wer wollte schon Schienen und den Lärm des Umschlagverkehrs direkt vor der Haustür haben? Hendrik überdachte, was ihm Meyer über die zu erwartende Ausdehnung der Hafenbecken berichtet hatte ...

«Was machen die Geschäfte?» Laeisz ignorierte Hennys Schmeichelei und wandte sich ihrem Mann zu.

«Ich sprach gerade mit Heinrich Sengelmann und der gnädigen Averdieck über das Asyl für schwachsinnige Kinder, das Sengelmann in Alsterdorf aufbaut. Natürlich werde ich die Einrichtung unterstützen.»

«Über zwölftausend werden wir dazugeben», erklärte Henriette mit Stolz, und Laeisz schaute einen Moment lang peinlich berührt. Über Summen sprach man nicht, zumindest nicht über Gelder, die man übrig hatte und stiften konnte. Mit Mildtätigkeit prahlte man nicht in der Öffentlichkeit. «Und das Waisenhaus an der Averhoffstraße wird auch etwas erhalten ...»

«Ich glaube, das brauchen wir hier nicht detailliert zu erörtern», unterbrach Christian sie, um zu verhindern, dass seine Frau auch diese Zuwendung mit Zahlen konkretisierte. «Natürlich dient ein solcher Abend dazu, Projekte und Vorhaben vorstellen zu können, ohne den Eindruck der Bittstellerei zu hinterlassen. Was erwarten wir denn?»

«Natürlich.» Laeisz nickte bestätigend. «Allerdings werden einem auch Vorschläge unterbreitet, bei denen man sich wirklich fragen muss, ob nicht andere Gelegenheiten besser geeignet wären ... Da fragt mich doch der gute Sierich vorhin, ob ich bereit wäre, sein Tunnelprojekt zu unterstützen.»

«Einen Tunnel?», fragte Clara interessiert.

«Ja, er plant doch ernsthaft, einen Tunnel unter der Alster hindurch zu bauen – von der Uhlenhorst bis nach Harvestehude, zwischen Karlstraße und Alsterchaussee.»

«Und bei einem solchen Vorhaben braucht er natürlich Investoren – aber ich bitte Sie, haben wir keine anderen Sorgen?» Christian schüttelte verständnislos den Kopf.

«Meine Rede. Aber wie ich sehe, lässt er sich nicht davon abbringen, am heutigen Abend weiter nach möglichen Sponsoren Ausschau zu halten.» Laeisz deutete auf eine kleine Gruppe von Herren, die etwas abseits kurz vor der Bühne stand. «Er scheint gerade Julius Gertig und den guten Tornquist als Partner gewinnen zu wollen. Vielleicht sollten die Herren, betrachtet man die gegenwärtige Entwicklung auf Steinwärder und dem Kleinen Grasbrook, eher einen Tunnel unter der Elbe als unter der Alster projektieren. Da würde selbst Sloman noch etwas beisteuern. Und verdienen ließe sich damit wohl auch etwas. Na, wir werden sehen, was aus der Sache wird. Aber Sie entschuldigen mich jetzt, die Kinder ...» Ferdinand Laeisz zog sich mit einer knappen Verbeugung zurück und wandte sich seinem Sohn Carl und dessen Frau Sophie zu, die wenige Schritte entfernt am Büfett standen. Sophie Laeisz trug ihre Haare ähnlich aufgetürmt wie Henny, und Hendrik fragte sich, ob und wann Clara auf die Idee käme, es ihnen nachzutun.

«Ich glaube, wir sollten auch von den Erdbeeren probieren», schlug Henny vor und richtete ihr Augenmerk auf das Büfett, dann warf sie Clara einen auffordernden Blick zu. «Komm meine Liebe, da hinten stehen auch Gundalena und Thekla. Sicher gibt es interessante Neuigkeiten. Lassen wir die Männer bei ihren Geschäften ...»

Christian wandte sich Hendrik zu. «Ich habe übrigens mit Carl Merck gesprochen.»

Hendrik warf ihm einen überraschten Blick zu. So schnell hatte er damit nicht gerechnet.

«Natürlich ohne den Hintergrund deines Anliegens näher zu schildern», ergänzte Christian beruhigend. «Sicher wird er dich darauf ansprechen. Er schien sehr interessiert. Anscheinend betrachtet auch er die Angelegenheit mit der Eisenbahn-Gesellschaft mit Skepsis. Ich glaube, du hast den richtigen Riecher gehabt. Aber tu mir bitte den Gefallen», bat Christian seinen Freund und machte eine beschwörende Geste, «und konfrontiere ihn nicht gleich mit irgendwelchen Theorien, die du bezüglich des Mordes am Sandthor-Becken hegst. Die ganze Angelegenheit scheint ohnehin brisant genug zu sein.»

«Es wäre ja schön, wenn ich schon eine Theorie hätte», entgegnete Hendrik. Für einen Moment überlegte er, ob er Christian in die möglichen Zusammenhänge zwischen Grundstücksspekulationen einiger Senatoren auf dem Grasbrook und den Fall Hübbe einweihen sollte, ließ es dann aber. Erst wollte er abwarten, was Voss darüber ans Tageslicht beförderte. «Aber ich tappe immer noch völlig im Dunkeln.»

Christian zog sich diskret zurück, als Carl Merck auf Hendrik zukam. «Commissarius Bischop?» Merck deutete eine Verbeugung an: «Ich glaube, wir hatten schon einmal das Vergnügen?»

«Sehr erfreut. Ja, im Hause Hellwege, wenn ich mich recht entsinne.» Hendrik erwiderte die Verbeugung. «Der Abend ist Ihrer Gattin, wenn ich mir erlauben darf, Ihnen das zu sagen, außerordentlich gelungen.»

«Ich werde das Kompliment an sie weiterreichen», gab Merck höflich zurück. «Sie hofft, etwas bewegen zu können.» Er lächelte. «In erster Linie natürlich Geld.»

«Wie es den Anschein hat und wie ich zumindest von einigen wohlwollenden Spendern am heutigen Abend erfahren konnte, ist sie damit auch überaus erfolgreich», erwiderte Hendrik.

«Es wäre zu hoffen.» Merck machte eine Pause. Dann kam er zur Sache. «Hellwege deutete an, Sie wünschten mich zu sprechen? Ich hoffe, es ist kein dienstliches Anliegen? Wie kann ich Ihnen weiterhelfen?»

Hendrik hob die Hände. «Nun, natürlich nicht direkt dienstlich, aber es gibt einen gewissen Klärungsbedarf ...» Er stockte. «Vielleicht können Sie mir einige Informationen darüber geben, welches der Stand der Verhandlungen über das neue Hafengebiet auf dem Grasbrook ist. Aber ich möchte bezweifeln, dass dies der richtige Ort für ein solches Gespräch ...»

«Wir können uns sicher für einen Augenblick zurückziehen, ohne dass man mich vermissen wird», willigte Carl Merck zu Hendriks Überraschung sofort ein. «Vielleicht gehen wir in die Bibliothek?»

Hendrik stimmte zu, und gemeinsam verließen sie den großen Saal. Merck ging voran und führte Hendrik über einen langen Seitenflur, vorbei an Salon und Raucherzimmer, wohin sich bereits einige Gäste zurückgezogen hatten, in den hinteren Teil des Gebäudes. Aber wider Erwarten schien auch die Bibliothek bereits besetzt zu sein. Merck blieb unvermittelt stehen, nachdem er die reich verzierte Kassettentür geöffnet hatte.

«Entschuldige! Wir wollten nicht stören.»

Ernst Merck breitete einladend die Arme aus. «Ah, mein lieber Bruder. Du kommst gerade recht.»

«Ich wusste nicht, dass du hier ... Ich bin in Begleitung von ...»

Ernst Merck ließ seinen Bruder nicht ausreden. Auffordernd streckte er Hendrik die Hand entgegen. «Commissarius Bischop. Sehr recht. Kommen Sie doch bitte auch herein! Hier ist es spannender. Es sei denn, Sie möchten da draußen im Gewühl mitbekommen, an wen der alte Sloman seine hübschen Töchter vergibt, nachdem er selbst schon nicht die richtige Partie erwischt hat. Das ist doch zur Zeit das Lieblingsthema der Gesellschaft, wenn ich richtig informiert bin», sagte er lachend und drehte genüsslich eine Zigarre zwischen den Lippen. Merck war nicht allein. Bei ihm standen Adolph Godeffroy und ein Hendrik unbekannter Mann.

«Einen Cognac?» Merck streichelte vergnügt seinen Bauch, nachdem die beiden eingetreten waren. «Sie kennen Dr. Brehm?», erkundigte sich Merck an Hendrik gewandt und füllte zwei große Cognacgläser. «Dr. Brehm wird auf meine Empfehlung der zukünftige Direktor des Zoologischen Gartens sein», erklärte Merck. «Zumindest hoffe ich, dass Sie mit den Modalitäten, welche die Zoologische Gesellschaft Ihnen bietet, einverstanden sind?»

Dr. Brehm deutete eine Verbeugung an. «Aber natürlich. Sehr erfreut.»

«Ich hoffe nicht, dass Sie sich von mir verfolgt fühlen», sagte Hendrik zu Adolph Godeffroy und reichte ihm die Hand.

«Ganz und gar nicht.» Godeffroy lächelte Hendrik amüsiert an.

«Ja, ja, die Familie Sloman.» Ernst Merck hob sein Glas und prostete den beiden zu. «Zumindest», unkte er, «wird es dem Alten leichter fallen als Jenisch. Dessen Tochter hat ja leider die Gesichtszüge des Vaters geerbt. Da wird es schwer sein, jemanden zu finden. Und sollte tatsächlich ein Anwärter auftauchen, wird der alte Affenschädel bestimmt auf der Hut sein, dass man es nicht nur auf sein Vermögen abgesehen hat.» Merck hielt sich den Bauch vor Lachen, und auch Godeffroy konnte sich ein Grinsen nicht verkneifen. «Was mir bei Affen einfällt», setzte Merck prustend hinzu und verschluckte sich dabei fast an seinem Cognac. «Vielleicht sollte ich Gottlieb Jenisch heute Abend noch fragen, ob er nicht einen Betrag für den Zoologischen Garten spenden will … Es soll ja dort auch ein Affenhaus geben!» Wieder begann er über seine eigenen Sottisen zu lachen, und auch Dr. Brehm, der bislang geschwiegen hatte, da er Jenisch anscheinend nicht kannte, ließ sich anstecken. Es war ja wirklich so, dass Gottlieb Jenisch nicht gerade eine Schönheit war. Hinter vorgehaltener Hand wurde er Affen-Jenisch genannt, obwohl das seinem hohen Ansehen in der Stadt zu keinem Zeitpunkt Abbruch getan hatte. Hendrik musste an das Buch denken, das Clara gerade las, und dessen Autor, Hendrik hatte den Namen nicht parat, behauptete, der Mensch stamme vom Affen ab.

Godeffroy fing sich als Erster wieder. «Jenisch hat uns allen vor fünf Jahren aus der Patsche geholfen, das sollten wir nicht vergessen.»

Merck wurde mit einem Schlag ernst. «Wer hat das Darlehen in der Krise bereitgestellt?», fragte er verstimmt. «Österreich hat geholfen! Ich will Jenischs Verhandlungsgeschick damals nicht schmälern. Aber die Preußen hätten doch kalt lächelnd zugesehen, wie die größten Handelshäuser der Stadt Bankrott gegangen wären!»

Carl Merck versuchte zu schlichten. «Hamburg wird

sich Preußen gegenüber nicht dauerhaft abschirmen können», erklärte er an seinen Bruder gewandt, von dem er wusste, dass er auf Preußen seit seinen Tagen im Frankfurter Parlament nicht gut zu sprechen war. Und seitdem Preußen Hamburg während der Wirtschaftskrise vor fünf Jahren ein Überbrückungsdarlehen verweigert hatte, war dieses Verhältnis nicht besser geworden.

«Das sehe ich auch so», sagte Godeffroy. «Und ich gehe sogar noch weiter: Preußen wird die Führungsrolle in einem geeinten Deutschland zufallen!»

Bevor Ernst Merck Einspruch erheben konnte, ergriff sein Bruder erneut das Wort. «Wenn der Handelsstatus der Stadt gewahrt bleibt, werden auch die Senatoren Kirchenpauer und Versmann Preußen ihre Unterstützung zusagen.»

«Darüber habe ich mit Kirchenpauer bereits diskutiert, als er noch den Vorsitz im Marinekongress hatte», gab Ernst Merck zur Antwort.

«Und du der Vertreter des Kriegsministers im Marineministerium warst», erinnerte ihn sein Bruder.

«Das war vor über zehn Jahren – seitdem hat sich eine Menge getan. Und der Plan einer deutschen Kriegsflotte ist ja wohl vom Tisch, oder sehe ich das falsch?» Ernst Merck war sichtlich erregt.

«Wenn überhaupt, wird es eine preußische Kriegsflotte sein», erklärte Carl kategorisch. «Bedenke doch, die Schleswig-Holstein-Frage ist nach wie vor ungeklärt. Dänemark oder England könnten die Elbmündung mit ihren Kriegsschiffen jederzeit wieder kontrollieren oder blockieren und damit der Hamburger Wirtschaft immensen Schaden zufügen!»

«Die Stadt lebt allein vom Handel und vom Hafen», fügte Godeffroy hinzu. «Eine Marineflotte wäre da schon beruhigend. Aber wir können den Schutz durch diese Flotte natürlich nur in Anspruch nehmen ...»

«Ja ja, ich weiß!», unterbrach Ernst Merck. «Nur, wenn die Stadt den Interessen Preußens entgegenkommt. Aber ich frage euch allen Ernstes: Lohnt es sich, dafür einen Krieg zwischen Preußen und Österreich in Kauf zu nehmen? Wie werden wir uns Österreich gegenüber verhalten, wenn es dazu kommt? Wollen wir dann sagen: ‹Tut uns Leid, wir haben damit nichts zu tun, wir sind nur Verbündete? Helfen können wir euch deshalb nicht, auch wenn wir eure Hilfe immer gerne in Anspruch genommen haben?› Mir wird schlecht bei dem Gedanken.»

Hendrik und Brehm sahen sich hilflos an. Ganz offenbar wollte keiner von beiden zu dieser Meinungsverschiedenheit beitragen, weder zur Schleswig-Holstein-Frage Stellung nehmen noch in dieser Situation zwischen Preußen und Österreich Position beziehen. Natürlich hatte Hendrik seine eigene Meinung. Die war vielleicht nicht so radikal wie die von Conrad. «Lieber preußischer Militarismus als österreichischer Katholizismus», hatte Hendriks Schwiegervater seine wenn auch mit Port geschwängerten Gedanken zu diesem Thema zusammengefasst. Aber auch für Hendrik lag Berlin näher als Wien oder Salzburg, was er in diesem Kreis jedoch lieber für sich behielt. Jedes weitere Wort hätte das Fass zum Überlaufen gebracht. Ernst Merck stand mit hochrotem Kopf vor einem der Regale, und Hendrik rechnete jede Sekunde mit einem Wutausbruch oder einem Schlaganfall des beleibten Preußengegners. Für einen Augenblick herrschte betretenes Schweigen.

«Wir sollten vielleicht besser das Thema wechseln», schlug Godeffroy vor. «Hatten wir nicht über die Zustände auf Slomans Schiffen gesprochen? Wir sind noch zu keinem Ergebnis gekommen, wenn ich mich entsinne ...»

«Hmm. Also gut. Wo waren wir stehen geblieben?», fragte Merck widerwillig.

«Vielleicht sollten wir deinen Bruder, lieber Ernst, und den verehrten Herrn Commissarius kurz aufklären, worum es ging», sagte Godeffroy und blickte in die Runde. «Nun, in den letzten Monaten häufen sich Klagen über die Zustände auf den Auswandererschiffen. Die Bedingungen auf den Zwischendecks dürften Ihnen, meine Herren, durchaus bekannt sein.» Hendrik und Carl Merck nickten, und Godeffroy fuhr fort: «Die Beschwerden kommen hauptsächlich von der amerikanischen Einwanderungsbehörde. Vom vergangenen September bis zum Juni diesen Jahres starben auf Überfahrten mehr als siebenhundert Auswanderer.» Godeffroy zog ein Papier hervor. «Wohlgemerkt: Diese Zahlen, die der Deputation für das Auswandererwesen vorliegen, betreffen ausschließlich Schiffe mit Heimathafen Hamburg oder solche, die für Hamburger Reedereien fahren.»

«Also auch Schiffe der Hapag?», fragte Carl Merck.

«Dazu komme ich gleich», gab Godeffroy zur Antwort und fuhr fort: «Die Bilanz würde noch erschreckender ausfallen, wenn man die Routen, die von Hamburg aus über englische Häfen gehen, hinzuzählen würde. Besonders beklagt werden die hygienischen Bedingungen an Bord sowie der Umstand, dass immer noch mehr Passagiere als erlaubt auf den Schiffen untergebracht werden. Aus Angst vor ansteckenden Krankheiten und Epidemien erwägt man in Amerika bereits, Schiffe aus Hamburg einer gesonderten und verschärften Kontrolle zu unterziehen und die Quarantänezeiten zu verlängern. Meine Herren, Sie können sich vorstellen, was das für die Hamburger Reedereien bedeuten würde, sollte man diese Pläne in Amerika wirklich umsetzen. Wenn es sich herumspricht, wird niemand mehr von Hamburg aus zum Tor der Neuen Welt reisen wollen und Bremerhaven zur ersten Wahl werden.»

«Du meinst», warf Carl Merck ein, «der Norddeutsche Lloyd wird der Hapag davonfahren. Ich kann deine Interessen als Direktor der Hapag durchaus verstehen ...»

«Hapag und Norddeutscher Lloyd sind schließlich die beiden größten Linien», erklärte Godeffroy. «Natürlich ist der Lloyd unser schärfster Konkurrent, aber wir halten uns auf beiden Seiten an gewisse Absprachen. Ich habe mich mit dem Vorstand gerade darauf geeinigt, dass Hapag und Lloyd sich im Linienverkehr künftig wöchentlich abwechseln. Auf ein Schiff aus Hamburg folgt eines aus Bremerhaven und umgekehrt. Aber das sei nur am Rande erwähnt. Wie bekannt sein dürfte, fährt die Hapag unter Dampf. Die Zustände, die angeprangert werden, herrschen aber fast ausschließlich auf Seglern. Ein Großteil davon fährt für Sloman. Ich will damit nur klarstellen: Sloman schadet dem Ansehen aller Hamburger Reedereien!»

«Dein Bruder fährt auch noch vorrangig mit Segelschiffen», wandte Carl Merck ein.

«Cesar hat über dreißig Schiffe, aber er steuert nicht Hoboken an. Soweit mir bekannt ist, transportiert er jährlich ungefähr tausendfünfhundert Auswanderer nach Australien, und in den letzten drei Jahren segelten etwas über dreitausend Menschen auf seinen Schiffen nach Afrika.»

«Wo es bestimmt keine vergleichbaren Einwanderungsbehörden gibt.» Ernst Merck lächelte. «Und damit natürlich auch keine Statistiken», fügte er hinzu. «Woran ist dir gelegen, Adolph? Deine Sorgen um den Ruf Hamburger Wirtschaftsunternehmen in allen Ehren, aber willst du die Verhältnisse nur auf den Schiffen ändern, die kontrolliert werden?»

«Cesar hält sich sehr streng an die Vorschriften!», antwortete Godeffroy schmallippig.

«Aber auch er transportiert Zwischendeckler», stellte Ernst Merck fest.

Sein Bruder schien die Vorgaben der Verschiffungsordnung im Kopf zu haben. «Paragraph sechs der Hamburger Verschiffungsordnung besagt, bei einer Deckshöhe von 1,72 Meter muss jedem erwachsenen Passagier eine Fläche von 0,98 Quadratmetern, bei 1,57 Meter Höhe von mindestens 1,15 Quadratmetern zur Verfügung stehen.»

«Wie bitte?!», rief Hendrik erschrocken und wiederholte die Angaben, wobei er die Deckshöhe mit erhobener Hand verdeutlichte. «1,57 Meter Höhe? Da würde niemand von uns aufrecht stehen können!» Er machte zwei große Schritte und zeigte auf den Boden. «Das ist ein Quadratmeter, meine Herren! Wenn man schon nicht stehen kann, sollte man sich vielleicht hinlegen können. Aber auch das wird einem erwachsenen Menschen auf einem Quadratmeter kaum gelingen!»

Hendrik kannte die niedrigen Zwischendecks der Segler – allerdings nur im leeren Zustand, wenn die Schiffe im Hafen lagen. Dass sie derart mit Menschen voll gestopft würden, wäre ihm im Traum nicht eingefallen. Er musste an Conrads Worte denken, der die hygienischen Bedingungen an Bord der Auswandererschiffe stets kritisiert hatte. Während die Mannschaft auf den wochen-, teils monatelangen Reisen an Skorbut und Syphilis verreckte, starben die Kinder an Cholera, Typhus und Scharlach. War das ein Wunder bei dieser Enge? «Und wie viel Quadratmeter gewährt man den Kindern?» Hendrik blickte fragend in die Runde, aber niemand antwortete ihm. Dr. Brehm blickte beschämt zu Boden, als wäre er persönlich für die Verschiffungs- ordnung verantwortlich. Wahrscheinlich dachte er an die Größe der zukünftigen Gehege im Zoologischen Garten, in denen den Tieren sicher mehr Platz zur Ver- fügung stand als den Menschen an Bord der Auswande- rerschiffe. Auch die anderen Anwesenden schauten be- troffen drein. Dass Hendrik ihnen die Platzverhältnisse auf den Schiffen so anschaulich vor Augen führte, schien sie einigermaßen unangenehm zu berühren.

«Sie sehen also, meine Herren, dass etwas geschehen muss», stellte Godeffroy fest und beendete das Schwei- gen.

«Die Frage ist nur, *was?*», sagte Hendrik. «Wie ist man denn bloß auf diese Vorgaben bei der Verschiffungsord- nung gekommen? Wer denkt sich denn so etwas aus?!»

«Ich stimme völlig mit Ihnen überein», meinte Go- deffroy. «Aber die Verschiffungsordnung werden wir auf die Schnelle nicht ändern können. Und selbst wenn wir Sloman zwingen, die Passagierzahlen auf seinen Passa- gen einzuhalten, ändert das nichts an den Zuständen auf seinen Schiffen. Er wird sich hinter der Verordnung verschanzen.»

«Kaufmännisches Denken und Profitgier liegen häu- fig dicht beieinander», urteilte Ernst Merck. «Vielleicht sollte man anregen, dass die Passagiere erst am Ende der Passage bezahlen müssen. Dann werden die Reeder zumindest dafür Sorge tragen, dass die Auswanderer die Reise überleben.»

Hendrik musste an Claras geplante Australienreise denken. Dafür käme dann ein Schoner der Godeffroys in Frage. Wie viel Quadratmeter würde man ihr gewähren? Er nahm sich vor, falls sich nachher eine Gelegenheit dazu ergab, Merck darauf anzusprechen, ob er Clara nicht beim Aufbau des Zoologischen Gartens gebrauchen könne. Wenn Ernst Merck als Präsident der Zoologischen Gesellschaft den zukünftigen Direktor vorschlagen konnte, dann würde er vielleicht auch eine Beschäftigungsmöglichkeit für eine naturwissenschaftlich bestens ausgebildete Frau durchsetzen können.

«Ein makabrer Vorschlag», meinte Adolph Godeffroy zu Merck gewandt und quälte sich ein Lächeln ab. «Nein, man sollte die Sache anders angehen.» Alle blickten ihn erwartungsvoll an. «Man könnte sich bei der Hapag durchaus vorstellen, etwas zur Verbesserung dieser Verhältnisse beizusteuern.»

«Ich dachte, auf euren Dampfern herrschen bereits bessere Zustände?», mischte Carl Merck sich ein.

«In der Tat. Nein, ich denke dabei nicht an die Zustände auf den Schiffen, sondern an das Gesamtbild, wie es sich dem kritischen Beobachter bietet. Es wäre zum Beispiel denkbar, dass die Hapag für Unterkünfte und Verpflegung der Auswanderer aufkommt, oder dass eine medizinische Betreuung nicht nur während der Überfahrten gewährleistet ist, sondern bereits hier in Hamburg medizinische Kontrollstationen und gegebenenfalls Quarantänezonen eingerichtet werden.»

«Natürlich nur für Passagiere der Hapag, wie ich annehmen darf», fragte Ernst Merck.

«Man kann ja nicht erwarten, dass die Hapag … Also,

die Hapag ist ja keine mildtätige Stiftung», antwortete Godeffroy. «Aber eine derartige Einrichtung würde ein Aushängeschild für die ganze Stadt und damit für alle hier ansässigen Unternehmen sein.»

«Der Hapag schwebt also ein zentrales Quartier für die Auswanderer vor?», hakte Hendrik nach.

«Damit würde man auch anderer Probleme Herr werden», antwortete Godeffroy. «Beispielsweise würde es weniger Straftaten im Zusammenhang mit dem Auswanderergeschäft geben ...»

Hendrik nickte zustimmend. Dieser Adolph Godeffroy war doch ein gerissener Hund. Zuerst hatte er Sloman angeprangert, mit der Schilderung der Zustände auf dessen Schiffen die Empörung aller Anwesenden geschürt, dann die existenzielle Not der Auswanderer thematisiert, bis niemand umhin konnte, einer Veränderung der Verhältnisse zuzustimmen, und schließlich das eigentliche Anliegen als Lösung aller Probleme verkauft. Die wirtschaftlichen Interessen der Hapag blieben, wenn auch nicht im Verborgenen, so doch im Hintergrund. Hätte Godeffroy dieses rhetorische Geschick nicht besessen, wäre er als Direktor eines so großen Unternehmens wie der Hapag wahrscheinlich auch eine Fehlbesetzung gewesen. Hendrik beschloss, das Spiel mitzuspielen. «Selbst in der Wache Raboisen, die nun wirklich nicht hafennah gelegen ist, gehen täglich bis zu hundert Anzeigen von Delikten ein, an denen Auswanderer als Täter oder Opfer gleichermaßen beteiligt sind», bestätigte er. «Ich finde Ihren Vorschlag nicht nur aus dieser Perspektive äußerst lobenswert. Wo planen Sie denn die Unterkünfte?», fügte er wie nebenbei hinzu.

Wahrscheinlich hatte Godeffroy Hendriks Absicht

ebenfalls durchschaut. Zumindest fiel seine Antwort reichlich vage aus. «Wir stehen, was verschiedene Areale betrifft, in Verhandlungen», erklärte er und wagte einen neuen Anlauf: «Am liebsten wäre der Hapag natürlich, die Stadt würde uns ein Gelände zur Verfügung stellen …»

«Kostenlos, versteht sich», merkte der Gastgeber mit spitzer Zunge an, aber Godeffroy ließ sich nicht beirren.

«Schließlich wird unser Vorhaben auch dem Ruf der ganzen Stadt zugute kommen.»

«Also, den Grasbrook kann sich die Hapag endgültig abschminken …» Weiter kam Carl Merck nicht, weil sich in diesem Augenblick die Tür öffnete und Louise Merck, anscheinend auf der Suche nach ihrem Gatten, im Türrahmen erschien.

«Ach, hier bist du. Das hätte ich mir gleich denken können!», rief sie und trat etwas gezwungen lächelnd ein. «Lieber Schwager! Lieber Cousin!», dann wandte sie sich Dr. Brehm und Hendrik zu: «Die Herren entschuldigen doch. Carl, die ersten Gäste brechen auf. Es wäre schön, wenn du bei der Verabschiedung anwesend sein könntest.»

«Aber selbstverständlich.» Bevor Merck mit seiner Gattin das Zimmer verließ, tat er einen Schritt auf Hendrik zu: «Es tut mir Leid, dass wir hier so unvermittelt einen Punkt machen müssen, aber vielleicht ergibt sich eine andere Gelegenheit für unser Gespräch.»

«Das wäre schön», sagte Hendrik und gab sich Mühe, seine Enttäuschung zu verbergen. Zu gerne hätte er natürlich noch erfahren, warum der Hapag kein Areal auf dem Grasbrook zur Verfügung gestellt werden sollte. Dann grübelte er über die verwandtschaftlichen Verhältnisse der Anwesenden: Louise Merck, die Frau von

Carl Merck, war eine geborene Godeffroy. Soweit er wusste, war sie die Schwester von Antonie Godeffroy, Adolph Godeffroys Frau, der seine Cousine geheiratet hatte. Oder so ähnlich – auf jeden Fall war alles sehr kompliziert und sehr inzüchtig. Aber schließlich hatte Hendrik die Tochter seines besten Freundes geheiratet – und das war, auch wenn es nach außen hin nicht so wirkte, beinahe ebenso kompliziert. Vor allem, weil Clara so einen Dickkopf hatte. Bevor sich der Abend seinem Ende entgegenneigte, musste er wegen Clara noch mit Ernst Merck sprechen.

~ *Nichts als Ärger* ~

*E*igentlich war Hendrik bester Laune gewesen, als er sich am späten Vormittag auf den Weg zur Polizeiwache machte. Er war ausgeschlafen, hatte gut gefrühstückt, und auch sonst war der Morgen ganz nach seinen Vorstellungen verlaufen. Natürlich hatten sie Sörens Abwesenheit ausgenutzt und es sich einmal richtig gemütlich gemacht. Das Frühstück, das er Clara ans Bett gebracht hatte, war da nur der krönende Abschluss gewesen. Kurzum, bis Hendrik die Wache an den Raboisen erreicht hatte, gab es nichts, was ihm die Stimmung hätte vermiesen können, und auch als Johannes Schütz mit hängenden Schultern und zerknirschtem Gesichtsausdruck das Zimmer betrat, änderte sich Hendriks Gemütslage noch nicht.

«Na, was gibt's denn?», fragte er seinen Inspektor.

«Ich mag's gar nicht sagen», druckste Schütz herum und trat verlegen von einem Fuß auf den anderen.

«Los, raus damit. So schlimm kann's gar nicht sein!», forderte Hendrik ihn auf. Dann erinnerte er sich an die Nachricht, die Clara ihm gestern übermittelt hatte. «Habt ihr das Ding etwa immer noch nicht zusammen?», fragte er belustigt.

«Wir haben die ganze Nacht daran gearbeitet. Es passt einfach nicht. Am besten kommst du runter und siehst es dir selber an.»

«Mach ich, mach ich.» Hendrik deutete auf ein Kuvert, das mit seinem Namen versehen war und auf einem Aktenstapel lag. «Was ist das?»

«Voss war heute Vormittag hier. Als ich ihm sagte, dass ich nicht weiß, wo du steckst, hat er dir eine Notiz geschrieben. Hatte es eilig. Ich soll dich grüßen. Ach, und noch etwas: Dieser Boller von der Deputation für das Auswandererwesen war auch wieder da …»

«Und?», fragte Hendrik teilnahmslos und betrachtete das Kuvert. Das war immer noch typisch Voss. Wie kam er nur so schnell an solche Informationen heran?

«Ich hab ihm gesagt, was du mir aufgetragen hast – wortwörtlich.» Schütz blickte Hendrik unsicher an. «Er war nicht begeistert. Drohte mit einer Beschwerde.»

«Soll er machen. Vielleicht bekommen wir dadurch mehr Personal.» Hendrik riss das Kuvert auf. «Geh schon mal vor! Ich komme gleich.»

Hendrik hatte mit fast allem gerechnet, aber was da von Voss auf dem kleinen Zettel notiert worden war, übertraf seine kühnsten Erwartungen. In Gedanken hatte sich Hendrik schon längst einige Namen von Senatoren zurechtgelegt, von denen man vermuten konnte, dass sie Spekulationsgeschäften nicht abgeneigt waren – nun, bei einigen Namen, das gestand er sich ein, hatte er gezögert, auf Grund persönlicher Bekanntschaft oder weil man dem Betreffenden wichtige soziale Errungenschaften verdankte. Aber was ihm hier vorlag, sprengte seine Vorstellungskraft. Es war keine lange Liste, wie Hendrik schlimmstenfalls befürchtet hatte. Voss hatte nur ein einziges Wort aufgeschrieben: «Alle».

Demnach gab es höheren Orts niemanden, dem sich Hendrik offenbaren konnte, und das machte die Angelegenheit kompliziert. Natürlich waren seit diesen

Grundstücksverkäufen auf dem Grasbrook schon einige Jahre verstrichen, und ein Teil der gegenwärtigen Senatsmitglieder war erst seit der neuen Verfassung in Amt und Würden, aber spielte das wirklich eine Rolle? Hendrik war maßlos enttäuscht. Vor allem, weil es kein Gesetz gab, das die damaligen Vorgänge verboten hätte, und es ihm deswegen unmöglich war, die Beteiligten im Nachhinein strafrechtlich zu belangen. Noch mehr ärgerte er sich über sich selbst. Als der Senat damals gegen Hübbe zu Felde gezogen war, hatte er Kirchenpauer von sich aus seine volle Unterstützung angeboten. In Wirklichkeit war es also nur darum gegangen, den ehemaligen Wasserbaudirektor mundtot zu machen, damit bestimmte Vorgänge nicht an die Öffentlichkeit gelangten. Hendrik fühlte eine ungeheure Wut in sich aufsteigen, nicht nur wegen der Niedertracht, sondern auch weil er sich so blind hatte vereinnahmen lassen. Die Frage drängte sich auf, ob es einen Zusammenhang mit den jetzigen Vorgängen auf dem Grasbrook und damit eine Verbindung zu dem toten Engländer gab, auch wenn die Spekulationsgeschäfte schon einige Jahre zurücklagen. Bisher gab es nur vage Anhaltspunkte. Hendrik versuchte, seine Gedanken auf das zu richten, was er bislang in Erfahrung gebracht hatte. Da war auf der einen Seite Adolph Godeffroy, der für die Hapag ein Auge auf das Areal des Grasbrooks geworfen hatte, das er dem Anschein nach aber nicht bekommen sollte. Zumindest hatte Carl Merck das, wenn auch nur andeutungsweise, verlauten lassen. Welche Interessen nun dahinter standen, das würde Hendrik noch in Erfahrung bringen. Zumindest konnte die Hapag kaum etwas mit Kränen anfangen, wenn sie sich auf Passagierschiffe konzentrierte. Gab es für die Hapag also einen

Grund, den Ausbau der Umschlaganlagen durch Sabotage zu verhindern? Einem Mann wie Godeffroy war es schließlich zuzutrauen, dass er noch irgendwo einen Trumpf im Ärmel hatte, um doch noch an das gewünschte Gelände heranzukommen. Aber angesichts der weit reichenden Beziehungen, die Godeffroy hatte, war es geradezu absurd, anzunehmen, dass er sich dazu herabließ, einen Kranlieferanten beseitigen zu lassen. Er konnte doch mit ganz anderen und eleganteren Mitteln auf die zukünftige Entwicklung Einfluss nehmen. Hendrik schüttelte den Kopf. Dann gab es auf der anderen Seite jede Menge Reedereien, die noch ausschließlich mit Segelschiffen fuhren und denen die modernen Hafenbecken, die in erster Linie auf den Dampferverkehr zugeschnitten waren, zumindest zu diesem Zeitpunkt kaum einen Vorteil brachten. Da war diese Eisenbahn-Gesellschaft, die nichts unversucht ließ, um den gesamten Umschlagverkehr an sich zu reißen. Da waren Senatoren, die genau das zu verhindern suchten. Da waren andererseits Senatsmitglieder, die in Spekulationsgeschäfte mit dem Areal des Grasbrooks verwickelt waren …

Hendrik vernahm ein lautes Fluchen vom Hof. Er erhob sich, zerriss den Notizzettel und warf die Fetzen in den Papierkorb. Dann beschloss er – egal was seine weiteren Recherchen ans Tageslicht fördern würden –, nach einer Lösung zu suchen, wie man Hübbe am besten rehabilitieren konnte. Aber zuerst wollte er dem Drama im Hof seine Aufmerksamkeit schenken.

Auf dem untersten Treppenabsatz stieß Hendrik fast mit Direktor Dalmann zusammen. «Äh, guten Tag. Sie wollen doch nicht zu mir?» Er blickte Dalmann völlig konsterniert an. Der hatte ihm gerade noch gefehlt.

«'n Tag, Herr Commissarius. Doch, genau Sie suche ich.»

Dem Tonfall nach zu urteilen, konnte sich Hendrik jede Erklärung sparen. Anscheinend war Dalmann bereits im Hof gewesen und hatte die Bescherung mit eigenen Augen gesehen. Zumindest hatte er Hendrik in der Hinsicht etwas voraus.

«Vielleicht haben Sie die Güte, mir zu erklären, was das da im Hof zu bedeuten hat?!» Dalmann blickte Hendrik verärgert an.

Hendrik beschloss, besser zu schweigen, bis Dalmann seinem Ärger Luft gemacht hatte.

«Man richtete mir aus, ich könne hier jederzeit auf der Wache meinen Kran begutachten. Und was finde ich vor?! Wenn Sie glauben, ich habe meine Zeit gestohlen …»

«Ich muss mich entschuldigen», unterbrach Hendrik, «Anscheinend gibt es für unsere Techniker ein kleines Problem.»

«Ein kleines Problem? Das dort draußen sieht mir nicht nach einem kleinen Problem aus. Seien Sie froh, dass ich alleine gekommen bin … Techniker, sagen Sie? Stümper sind das. Hoffentlich haben sie nichts kaputt gemacht!»

Hendrik nickte stumm. Was hätte er auch sagen sollen.

«Vielleicht gestatten Sie mir jetzt, dass ich Appleby Brothers verständige, damit man uns fähige Leute schickt und …»

«Das haben Sie doch längst gemacht», schnitt Hendrik ihm kühl das Wort ab.

«Ich habe was?», fragte Dalmann empört.

«Sich über meine Anweisungen hinweggesetzt und

nach London telegraphiert», antwortete Hendrik in ruhigem Ton, als würde er der Sache keine besondere Bedeutung beimessen und Stillschweigen darüber bewahren, sofern Dalmann das kleine Missgeschick, das Schütz und Moltrecht unterlaufen war, nicht an die große Glocke hängte. Er hatte sich getäuscht.

«Das wird ja immer schöner. Jetzt werden Sie nicht auch noch unverschämt, guter Mann!», schrie Dalmann Hendrik an. «Ich werde mich bei Ihrem Vorgesetzten über Sie beschweren. Guten Tag, Herr Commissarius!» Er machte auf der Hacke kehrt und stürmte zum Ausgang.

Hendriks gute Laune war gründlich dahin. Er hatte nicht nur die Situation völlig falsch eingeschätzt, sondern einen Trumpf im falschen Moment ausgespielt, was ihm noch nie passiert war. Nun gut – dann waren es also zwei Beschwerden. Er holte einmal tief Luft und schluckte. Das musste er dann wohl allein ausbaden. Zumindest nahm er sich vor, seinen Ärger nicht an Untergebenen auszulassen. Es war verdächtig still in der Wachstube. Natürlich hatte man die Auseinandersetzung mitbekommen – und wahrscheinlich zogen jetzt erst einmal alle die Köpfe ein. Die Tür zum Hof stand offen.

«Ei, ei, ei!» Schütz schüttelte seine rechte Hand, als hätte er sich die Finger verbrannt, und blickte Hendrik betreten grinsend an. «Dicke Luft, was?»

Hendrik schaute sich im Hof um. So schlimm sah es gar nicht aus, fand er. Zumindest war zu erkennen, dass es sich um einen Kran handelte. Sprützenmeister Moltrecht stand etwas abseits und hantierte mit zwei Eisenteilen.

«Ich glaub, ich hab Mist gebaut», sagte Hendrik und

betrachtete den Kran, als wolle er einen Augenkontakt mit den Umstehenden vermeiden. «Soll ja vorkommen ...»

«Du?», fragte Schütz.

Hendrik nickte. «Dalmann streitet ab, telegraphiert zu haben. Entweder er lügt, oder wir haben einen Denkfehler gemacht. Jedenfalls war es idiotisch von mir, ihn damit zu konfrontieren ... Habe wohl irgendwie die falsche Wortwahl erwischt.» Er wandte sich dem Kran zu und klatschte auffordernd in die Hände. «So, ihr Spezialisten, nun zeigt mir mal, wo das Problem liegt!»

«Das Problem ist», polterte Moltrecht, «dass der ganze Schiet hier nicht zusammenpasst!» Er drehte sich um. «Schuldigung, Herr Commissarius, aber ich wurschtel hier nun schon seit gestern rum und versteh einfach nich, wie das funktionieren soll. Egal was ich mache, das passt nich!»

«Sieht aber schon gewaltig nach 'nem Kran aus», entgegnete Hendrik.

«Ach, darum geht's doch nich! Den Kran ham wa längst fertig. Das war'n Kinderspiel! Geht um'n Antrieb. Ich weiß nicht, wer sich das ausgedacht hat – hat jedenfalls nix mit 'ner Dampfmaschine zu tun. Hier!» Moltrecht zeigte auf ein dickes Eisenrohr hinter der Verkleidung des Krans. «Bis hierhin geht alles klar! Das is die Stelle, wo die Kolbenstange ran muss!» Er zog demonstrativ an einer Stange. «Rauf, runter, rauf, runter!»

«Also?» Hendrik zuckte mit den Schultern. Er hatte von Dampfmaschinen und dergleichen nicht die geringste Ahnung.

«Was heißt also?», schrie Moltrecht aufgebracht. «Hier is nirgends 'ne Kolbenstange! Ich hab 'nen Zylinder, der is dick wie'n Kanonenrohr, ich hab 'n Haufen

Ein- und Auslassventile, ich hab' zich Rohre und 'nen Überdruckausgleichsbehälter, den könn' Se voll pumpen, dass Ihnen die ganze Wache hier umme Ohren fliecht, aber was ich nich hab, is 'ne verdammte Kolbenstange!» Moltrecht schmiss eins der Eisenteile wütend auf den Boden.

«Keine Kolbenstange. Gut.» Hendrik kratzte sich am Hinterkopf, ohne den Versuch zu wagen, sich in die Materie hineinzudenken. «Oder besser gesagt», korrigierte er, «nicht gut! Was heißt das?»

«Das heißt, die Schose passt nich! Das könn' Se drehn, wie Se woll'n! Außerdem begreif' ich nich, was das hier soll.» Moltrecht zeigte auf einen langen Zapfen, der am Ende schneckenförmig auslief. «Selbst wenn ich hier so viel Luftdruck drin hab, dass die Kiste grade nich explodiert», er deutete auf den Zylinder, «dann dreht sich die Stange!»

«Ja, prima!», rief Hendrik.

«Nix prima. Was ich brauch, is 'ne Stoß- oder Zugbewegung, keine Drehbewegung. Wer sich das hier überlegt hat, kann nich alle Tassen im Schrank gehabt ham!»

«Also wenn ich Sie richtig verstehe, heißt das …»

«Der Antrieb, oder was auch immer das sein soll, passt nich zum Kran. Richtig!» Moltrecht stampfte mit dem Fuß auf. «Und ich bin jetz zwei Tage hier am Rumbasteln und hätt 'ne Mütze Schlaf nötich. Tut mir Leid.»

«Tja!» Hendrik zuckte hilflos mit den Schultern. «Das war's dann wohl. Müssen wohl die Engländer ran.»

Moltrecht drehte sich noch einmal um. «Da bin ich dann aber bannich gespannt. Sag'n Se mir Bescheid, wenn die kommen, Herr Commissarius. Das will ich nich verpass'n, wenn die den Krempel an den Kran bau'n.»

Hendrik blickte Hannibal Moltrecht nachdenklich hinterher. «Soll ich ihn wieder auseinander bauen?», fragte Schütz nach einer Weile, aber Hendrik schüttelte stumm den Kopf. «Wenn Hannibal sagt, es passt nicht, dann passt es auch nicht. Ich war fast die ganze Zeit dabei und hab ihm zugesehn. Er hat wirklich alles ausprobiert.»

«Ich glaub's euch ja», murmelte Hendrik in Gedanken versunken. «Wenn es aber nicht zum Kran gehört», sagte er nach einer Weile, «dann heißt das, entweder hat man in London die falschen Teile eingepackt, oder …»

«Oder?»

«Oder es ist die falsche Kiste.»

«Falsche Kiste?», fragte Schütz empört. «Ich hab alle Kisten vom Sandthor-Becken herbringen lassen und den Transport selbst überwacht.»

Hendrik schüttelte den Kopf. «Das meine ich nicht. Du hast alles richtig gemacht, Johannes.» Er klopfte Schütz auf die Schulter. «Komm mit nach oben und lass uns nochmal einen Blick auf die Begleitpapiere werfen. Weißt du noch, wie viele Kisten dort aufgeführt waren?»

«Acht Kisten. Stimmt genau.» Hendrik schob die Papiere wieder zusammen, nachdem sie die Angaben gründlich kontrolliert hatten. «Und auf allen steht der Firmenname. Trotzdem passt eine Kiste nicht. Sag mal, Johannes, liegt die Mirinda noch im Hafen?»

«Wir haben doch seit drei Tagen Flaute. Alles unter Segeln liegt fest.»

«Gut.» Hendrik griff nach seinem Uniformrock. «Ich werde mich gleich auf den Weg machen. Wenn ich mit meiner Vermutung richtig liege, dann gibt es noch mehr Kisten.»

«Ich kann deinen Gedanken nicht ganz folgen», sagte Schütz. «Also du glaubst, es gibt noch mehr Kisten, die auf der Mirinda transportiert wurden? Dann müsste ja jemand eine Kiste vermissen.»

«Richtig.»

«Dann bräuchten wir doch bloß bei Appleby Brothers anzufragen …»

«Haben wir doch schon.» Hendrik wühlte aufgeregt einen Aktenstapel durch. «Wo ist diese verdammte Liste von der Telegraphenstation?», fluchte er. «Ah, da haben wir sie! Da – Smith war der Name. Wäre ja zu schön, um wahr zu sein.»

«Ich verstehe immer noch nicht …»

«Brauchst du auch nicht – noch nicht. Ist nur so eine Idee. Ich fahre jetzt zur Mirinda, und du stellst eine Personenliste auf.»

«Eine Personenliste?»

«Ja, alle zwanzig Namen der Leute, die vor dir nach London telegraphiert haben. Wenn wir Glück haben, ist einer davon unser Mann.»

Die ganze Fahrt zum Niederhafen versuchte Hendrik, seine Gedanken zu ordnen. Endlich gab es einen Anhaltspunkt. Demnach hatte Dalmann offenbar tatsächlich nicht nach London telegraphiert, sondern jemand ganz anderes. Jemand, der seine Ware nicht erhalten hatte. Hendrik versuchte, sich an den genauen Wortlaut der Nachricht zu erinnern, die Clara ihm übersetzt hatte. Wer auch immer die Firma verständigt hatte, wusste vom Verbleib der Kisten am Sandthor-Becken, wusste, dass sie von der Polizei konfisziert worden waren. Und das konnte nur wissen, wer, als Hendrik und Schütz zum Tatort geeilt waren, ebenfalls dort war. Warum hatte derjenige dann das Missverständnis nicht an Ort und Stelle aufgeklärt oder war später zur Polizeistation gekommen? Dafür gab es eigentlich nur einen Grund …

Auch wenn Passen ihm eigentlich unheimlich und unberechenbar erschien, Jurjew war freundlich gewesen; er hatte Sören schließlich zu verdanken, dass er die Botschaft erhalten hatte. Die Neugier war einfach zu groß gewesen; den ganzen Tag über hatte Sören nur an das Tauchschiff denken können. Natürlich hatte er niemandem von dem Schiff erzählt. Wer hätte ihm auch geglaubt? Selbst Martin hatte seinen Bericht als Spinnerei abgetan, Sören war beleidigt gewesen, und am nächsten Morgen hatten sie kein Wort mehr darüber verloren. Vielleicht würde Jurjew ihn ja einmal mitfahren lassen? Sören hatte gewartet, bis Hendrik und Clara zu Bett gegangen waren, war kurz vor Sonnenuntergang unbemerkt aus dem elterlichen Haus geschlichen und hatte sich mit Jonas' Boot auf den Weg zur Reiherstiegwerft gemacht.

Da war er nun; aber nach dem, was er gerade gehört hatte, kamen Sören einige Zweifel, ob es eine gute Idee gewesen war, zurück auf die Werft zu kommen. Noch hatten Passen und Jurjew ihn nicht gesehen. Anscheinend wähnten sich die beiden unbeobachtet und hatten auch nicht mitbekommen, dass Sören sie zufällig von der Galerie aus belauscht hatte. Nun kamen sie die Treppe herauf. Verzweifelt suchte Sören nach einem geeigneten Unterschlupf, wo er sich rasch verstecken konnte, bevor die beiden ihn entdeckten. Er hatte genug gehört, und es schien ihm unmöglich, den Männern unbekümmert entgegenzugehen, als sei er gerade erst angekommen und wüsste von nichts.

Als Passen und Jurjew aus der Tür traten, kauerte Sören unter einem Bündel Decken auf dem Planwagen, der direkt vor der Baracke stand. Er wagte vor Angst kaum zu atmen. Durch einen winzigen Riss konnte Sören die beiden beobachten. Sie trugen eine große Kiste und kamen genau auf den Wagen zu. Jurjew und Passen hatten über einen Toten geredet. Über einen Toten! Sören zuckte zusammen, als die Kiste krachend auf dem Wagen landete.

Sehen konnte er die beiden jetzt nicht mehr, aber er kannte die Stimmen. Es war eindeutig Passen, der sprach.

«Zwei Wochen bleiben uns noch, dann muss hier alles verschwunden sein. Wenn die Leute von der Werft anrücken, muss das Boot weg sein – egal ob es funktioniert oder nicht.»

«Es wird funktionieren, glaub mir», antwortete Jurjew in besänftigendem Tonfall. «Jewgenijs Idee war famos. Nachdem wir die Eisengitter in den Flutkammern montiert haben, hat das Schiff schon deutlich mehr Stabilität. Jetzt fehlt nur noch die Maschine. Mit dem neuen Antrieb werden wir uns unter Wasser nahezu unbemerkt fortbewegen können. Bis auf ein paar harmlose Luftblasen wird von oben nichts zu sehen sein. Man wird sich an jedes beliebige Schiff heranschleichen und es versenken können.»

Versenken? Sören glaubte seinen Ohren nicht zu trauen. Aber natürlich: Das Tauchboot war ein Kriegsschiff. Eine ganz heimtückische Waffe. Niemand würde auf die Idee kommen, dass man ein Schiff unter Wasser angreifen könnte. Deswegen also die ganze Heimlichtuerei. Aber welche Schiffe sollten versenkt werden? Im Hamburger Hafen gab es keine Kriegsschiffe, die man hätte angreifen und versenken können. Sören wurde immer flauer zumute. Wie hatte er nur so einfältig sein können? Er musste sofort seinen Vater verständigen. Der würde wissen, was zu tun war. Aber wie kam er hier fort? Er kauerte unter der Plane am vordersten Ende des Wagens. Ihm blieb in diesem Moment nichts anderes übrig, als still zu bleiben und abzuwarten, was weiter geschah. Bestimmt ergab sich demnächst eine Möglichkeit zur Flucht.

«Dann können wir nur hoffen, dass man noch nicht mitbekommen hat, was sich in der Kiste befindet», fuhr Jurjew fort. «Wenn die Polizei in London anfragt, wird man Verdacht schöpfen.»

«Ich habe Appleby Brothers doch gleich verständigt. Gegebenenfalls wird man uns einen neuen Antrieb schicken müssen. Wieder an die alte Adresse, Maschinenbauteile für eine Maschinenfabrik – na und? Solange die Werft nicht umgezogen ist, können wir ungehindert arbeiten. Niemand wird Verdacht schöpfen.»

«Es wäre einfacher gewesen, du hättest die Polizei gleich informiert.»

«Die Polizei!?», rief Passen. «Bist du verrückt? Und der Tote? Man hätte mir doch nie geglaubt. Und außerdem wäre dann alles über das Boot bekannt geworden.»

«Ich frage mich, wer diesen Engländer umgebracht hat.»

«Schau mich nicht so an! Ich sage dir zum letzten Mal: Der Mann war bereits tot, als ich dort ankam. Ich konnte die Kiste nur nicht aufladen, weil da schon Arbeiter rumschlichen und ich nicht wusste, welche es war.»

«Wir können nur hoffen, dass alles gut geht», sagte Jurjew mit müder Stimme.

«Ich habe die Örtlichkeiten genau inspiziert. Kurz vor Mitternacht geht der Wachhabende. Die Durchfahrt zum Hof ist unversperrt. Es gibt kein Tor. Wir müssen nur die Nachtwache auf ihrem Kontrollgang abpassen. Man wird es gar nicht merken, dass wir die Kisten austauschen. So, und jetzt hilf mir, das Ding richtig auf dem Wagen zu verstauen!»

Der Wagen fing kurz an zu schaukeln. Sören kniff die Augen zusammen.

«Schieb sie ganz dicht ran!», hörte er Passen rufen. Sören stemmte sich mit aller Kraft gegen die Kiste, die immer näher an ihn heranrückte, aber es hatte keinen Zweck – jetzt war der Fluchtweg über die Ladefläche versperrt; die Kiste nahm die ganze Breite des Wagens ein und lastete mit ihrem Gewicht auf dem Rand der Decken. Die Seitenwände waren auch zu hoch. Blieb nur der Weg nach vorne, aber auf dem Kutschbock hatten bereits Jurjew und Passen Platz genommen. Der Wagen setzte sich in Bewegung. Egal wohin die Fahrt ging – für Sören war klar, dass er sofort herunterspringen und weglaufen würde, wenn die Kiste von der Ladefläche gezogen wurde. Vorerst blieb ihm aber nichts, als abzuwarten.

Die Fahrt dauerte lange. Eine gute Stunde waren sie bestimmt schon unterwegs. Sören war sogar so, als ob sich der Planwagen zwischenzeitlich auf Schiffsplanken befunden hätte. Durch einen Spalt in der Plane konnte er sehen, dass es draußen bereits stockfinster war, aber es war nicht zu erkennen, wo sie sich befanden. Endlich hielt der Wagen, jedoch machten Passen und Jurjew keine Anstalten, vom Kutschbock aufzustehen. Anscheinend beobachteten sie etwas. Nach einer Zeit rollte der Wagen erneut an. Dem Klang der Fahrgeräusche nach fuhren sie in einen Hof.

Sören stand dicht hinter der Kiste, bereit zum Sprung. Womit er nicht gerechnet hatte, war, dass einer der beiden Männer vom Kutschbock aus unter der Plane hindurch auf die Ladefläche des Wagens kam. Sören konnte nicht erkennen, wer von den beiden es war, aber er schubste den Mann mit aller Kraft zurück und sprang im selben Augenblick hinterher in die Dunkelheit. Er stolperte über einen Körper, hörte einen Schmerzensschrei, danach einen Fluch und dann spürte er, wie jemand nach seinem Hemd griff. Passen hatte ihn erwischt und drehte ihm sogleich den Arm auf den Rücken.

«Ja, wen haben wir denn da?!»

Sören blickte sich erschrocken um. Trotz der Dunkelheit erkannte er den Hof sofort. Das war die Polizeiwache! «Wenn mein Vater euch erwischt, dann seid ihr geliefert!», rief er lauthals. Passens Griff wurde fester, und Sören brüllte nur umso lauter. «Mein Vater ist bei der Polizei!» Irgendjemand musste ihn doch hören. Warum war niemand hier? Ein Schlag traf ihn in den Nacken, und er sackte bewusstlos zusammen.

«Da haben wir den Schlamassel! Ich hab doch gewusst, dass das Ärger gibt mit dem Bengel!»

«Und jetzt?», fragte Jurjew, nachdem er sich vom Boden aufgerappelt hatte. «Du hast doch gesagt, du kennst ihn von Larssens Werft und er sei harmlos!»

«Kann ich doch nicht ahnen, dass sein Alter 'n Udl is. Komm! Lass uns die Kiste aufladen und verschwinden.»

«Und der Kleine?»

«Kümmer ich mich drum.»

«Passen! Tu ihm nichts zu Leide. Mit Mord will ich nichts zu tun haben!» Jurjew war aschfahl geworden.

«Ich regel das schon!», antwortete Passen. «Wir haben noch zwei Wochen. Bis dahin wird der Kleine nicht wieder auftauchen!»

~ Stürmische Wasser ~

*H*endrik strich sich über die Bartstoppeln. Zeit für eine Rasur hatte er nicht mehr gehabt. Der Constabler, der ihn geweckt hatte, war so aufgeregt und außer Atem gewesen, dass er anfänglich keinen zusammenhängenden Satz hervorbrachte und Hendrik nur erahnen konnte, um was es ging.

«Gestohlen?», fragte Hendrik entgeistert nach.

«Ja, ich meine nein, ja! Auch! … Der Inspektor sagt: ausgetauscht!»

«Verdammt und zugenäht! Reiten Sie vor, Constabler, ich komme sofort mit dem Wagen nach.»

Er zog sich rasch an und machte den Wagen fertig. Nach weniger als fünf Minuten rauschte der Wagen aus der Remise Richtung Polizeiwache. Hendrik war außer sich. Eine solche Dreistigkeit hatte er während seiner ganzen Dienstzeit noch nicht erlebt. Da schien sich jemand seiner Sache ja sehr sicher gewesen zu sein.

Als Hendrik die Polizeistation an den Raboisen erreicht hatte, herrschte immer noch helle Aufregung. Nein, die Nachtwache habe man bereits befragt. Es gab keinerlei erwähnenswerte Vorkommnisse. Die ganze Nacht über sei es ruhig gewesen. Johannes Schütz saß wie ein Häufchen Elend in der Wachstube und schüttelte die ganze Zeit nur den Kopf.

«Es ist meine Schuld», stammelte er unentwegt. «Ich hätte den Kran bewachen lassen sollen.»

Der uniformierte Wachmann, der Hendrik einen Becher Kaffee brachte, starrte seinen Vorgesetzten mit großen Augen an. Ungewaschen und unrasiert – nun, das soll vorkommen. Hendrik blickte an sich herab. In der Eile hatte er eine schmutzige Hose und ein zerknittertes Hemd erwischt. Er zuckte nur mit den Schultern. Dies war kein Moment für Eitelkeiten.

«Wer konnte denn so etwas ahnen», versuchte er Schütz zu beruhigen. «Mach dir keine Vorwürfe. Und wenn, dann wäre es meine Aufgabe gewesen, das zu veranlassen. Ich hätte selbst drauf kommen können.»

«Dass ich so etwas noch erlebe …» Schütz standen die Tränen in den Augen.

«Lass den Kopf nicht hängen, Johannes. Du kannst nichts dafür!» Hendrik klopfte Johannes freundschaftlich auf die Schulter. «Und sieh's mal von der positiven Seite. Zumindest kannst du deinen Sprützenmeister zurückpfeifen.»

Schütz blickte Hendrik fragend an.

«Jetzt wird's passen!», meinte Hendrik sarkastisch.

Johannes Schütz quälte sich ein Lächeln ab. «Was mag das in der Kiste gewesen sein? Muss ja wohl irgendwas Kostbares sein», spekulierte er, «dass jemand das Risiko eingeht, es vom Hof einer Polizeiwache zu klauen.»

«Maschinenbauteile», sagte Hendrik. «Was genau, das kann ich dir auch nicht sagen.»

«Was hast du gestern überhaupt in Erfahrung bringen können? Hat sich dein Verdacht also bestätigt?»

Hendrik nickte. «Natürlich», sagte er ganz selbstverständlich, als hätte er zu keinem Zeitpunkt Zweifel daran gehabt. «Komm Johannes, wir müssen einen Schlachtplan ausarbeiten. Hast du die Personenliste fertig?»

Schütz nickte. «War nicht schwer.»

«In Ordnung. Also, es gab tatsächlich noch eine weitere Kiste auf der Mirinda. Ich hab mir alle Frachtpapiere zeigen lassen. Eine Kiste mit Maschinenteilen. Empfänger ist die Maschinenfabrik Reiherstieg. Der Maat erinnerte sich, dass die Kiste gleich nach dem Festmachen abgeholt wurde. Der Auslieferungsschein ist zwar gegengezeichnet, aber der Name ist unleserlich. Ist aber auch egal. Ich habe gestern noch bis zum Abend recherchiert. Es gibt zwar diverse Unternehmungen am Reiherstieg, aber nur eine kommt in Frage – und zwar die Maschinenfabrik und Schiffswerft von Cesar Godeffroy.»

«Und was machen wir jetzt?»

«Du, mein lieber Johannes, gehst zur Telegraphenstation …»

«Appleby Brothers?»

«Genau. Ich will wissen, was das in der Kiste war. Von wem der Auftrag kommt, und zwar namentlich! Wenn man sich weigert, Auskunft zu geben, dann setzt du dich mit dem Yard in Verbindung und bittest um Amtshilfe. Du bleibst so lange auf der Station, bis du Antwort hast! Und wenn es den ganzen Tag dauert!»

«Mach ich. Und was hast du jetzt vor?»

Hendrik spitzte die Lippen und strich sich mit zwei Fingern nachdenklich über die Nasenflügel. «Ich? Ich werde Godeffroy einen Besuch abstatten.»

Zumindest ein sauberes Hemd hatte Hendrik im hintersten Winkel seines Dienstzimmers noch gefunden. Die Ersatzuniform hatte er aber – trotz des dienstlichen Anliegens – im Schrank hängen lassen, sodass man ihn am Alten Wandrahm, wo die Firma Cesar Godeffroy &

Sohn seit vielen Jahren ansässig war, auf Grund seines Äußeren zuerst kritisch beäugt hatte und nicht einlassen wollte. Erst nachdem Hendrik sich ausgewiesen hatte, gewährte man ihm – immer noch zögernd – Einlass, aber weder der Herr Senior, wie man Cesar Godeffroy auf Grund der Namensgleichheit mit seinem Sohn dort nannte, noch der junge Herr Godeffroy waren anwesend. Nachdem Hendrik der Dringlichkeit seines Anliegens entsprechenden Ausdruck verliehen hatte, teilte man ihm eher widerwillig mit, Herr Godeffroy sei am Nachmittag wahrscheinlich bei seinem Bruder in der Deichstraße anzutreffen.

Hendrik hatte den kritischen Blick, den der Kontorist ihm beim Hinausgehen zugeworfen hatte, nicht übersehen. Bevor er im Hause von Adolph Godeffroy vorstellig wurde, war es angemessen, zumindest einen Barbier aufzusuchen.

Eine knappe Stunde später verließ Hendrik frisch rasiert Melchiors Coiffeur-Salon am Hüxter. Ein laues Lüftchen strich durch die Straße und wirbelte sogleich wieder den Staub der letzten Tage auf. Zwei Jungen, sie mussten etwa in Sörens Alter sein, rannten über den Fußweg und zogen einen Papierdrachen hinter sich her, der im Wind auf und nieder flatterte. Hendrik fiel ein, dass ihm Sören mehrmals von seinem Herzenswunsch erzählt hatte, und er bekam ein schlechtes Gewissen. In den letzten Wochen hatte er viel zu wenig Zeit mit seinem Sohn verbracht. Clara hatte schon Recht. Alles blieb an ihr hängen. Eigentlich wusste er nicht einmal, was Sören den ganzen Tag so trieb, nur so viel, dass er häufig mit Martin Hellwege zusammen war. Obwohl die beiden recht unterschiedlich in ihrer Art waren, schienen sie sich gut zu verstehen – allerdings nicht, wie Clara berichtete, wenn es um Schiffe und dergleichen ging. Martin war eine echte Landratte und Sören interessierte sich für alles, was mit der Seefahrt zusammenhing. Leider konnte Hendrik seinem Sohn in der Hinsicht nicht viel bieten. Vielleicht sollte er, wenn sich heute die Gelegenheit dazu ergab, die Chance ergreifen und Godeffroy fragen, ob er Sören nicht mal mit zum Rudern nehmen könne, schließlich war Cesar Godeffroy Gründungsmitglied des Hamburger Ruder-Clubs.

Hendrik kratzte sich am Hals. Ging er heute als Freund oder als Commissarius ins Hause Godeffroy? War es möglich, dass Godeffroy …? Zumindest war die Kiste, die irgendwie mit dem toten Engländer zu tun hatte, für seine Fabrik bestimmt. Wahrscheinlich hatte man sie auf der Mirinda versehentlich vertauscht, und dann … Aber warum hatte man die Kiste vom Hof der Polizeiwache gestohlen? Hendrik sah keine vernünftige Erklärung dafür, aber er würde es noch herausbekommen. Heute Nachmittag würde er klarer sehen. Bis dahin blieb jedenfalls noch etwas Zeit, und Schröders Eisenwarenhandlung lag direkt auf dem Weg. Er versuchte, sich zu erinnern, was Sören gesagt hatte. Rosenholz oder Olivenholz? Woraus sollte der Griff noch sein? Nun, so groß würde die Auswahl schon nicht sein. Hendrik kontrollierte, ob er genügend Geld dabei hatte, und bestieg den Wagen. Für ein Takelmesser würde es wohl noch reichen.

Wie nicht anders zu erwarten, war Adolph Godeffroy wirklich überrascht, als das Mädchen Commissarius Bischop ins Empfangszimmer führte. Hendrik hatte sich schon passende Worte zurechtgelegt, falls Godeffroy ihn wieder mit der Floskel empfangen sollte, dass es hoffentlich kein dienstliches Anliegen für den Besuch gäbe.

Die beiden waren sich in letzter Zeit zu häufig über den Weg gelaufen und die heutige Begegnung konnte keinesfalls als Zufall gedeutet werden. Godeffroy empfing Hendrik im Beisein seines Bruders, was die Sache vereinfachte.

«Man richtete mir aus, es sei dringend?», sagte Adolph Godeffroy, nachdem er mit einer äußerst knappen Begrüßung deutlich gemacht hatte, dass er Hendrik andernfalls nicht empfangen hätte.

«In der Tat. Es tut mir Leid, wenn ich ungelegen kommen sollte, aber mein Besuch ist unerlässlich», entschuldigte sich Hendrik. «Ich habe ein ganz konkretes Anliegen …»

«Bitte, nehmen Sie doch Platz.» Godeffroy deutete auf einen Stuhl, aber Hendrik lehnte dankend ab.

«… an Ihren verehrten Herrn Bruder», vervollständigte Hendrik und blickte zu Cesar Godeffroy.

«An mich?» Die Verblüffung war Cesar Godeffroy anzusehen.

«Oh! Ich hoffe, es geht nicht um die Zustände auf den Segelschiffen», sagte Adolph Godeffroy und wandte sich sofort seinem Bruder zu. «Lieber Cesar», erklärte er, «wir sprachen neulich bei Ernst in Anwesenheit des Commissarius über die Zustände auf Slomans Zwischendecks, und Carl Merck spekulierte daraufhin, dass solche Zustände vielleicht auch auf deinen Schiffen anzutreffen wären …»

«So ein Unfug!», entgegnete Cesar Godeffroy sichtlich verärgert. Dann mäßigte er seinen Tonfall. «Aber bitte, lieber Commissarius, womit kann ich Ihnen dienlich sein? Es wäre wünschenswert, wenn Sie sich kurz fassen würden. Wir, das heißt mein Bruder und ich, erwarten jeden Moment Senator Kirchenpauer.»

«Es handelt sich zu meinem Bedauern um eine dienstliche Angelegenheit, und ich will gar nicht lange drumherum reden. Leider gibt es eine Verbindung zwischen Ihrem Betrieb am Reicherstieg und einem Fall, an dem ich gerade arbeite …»

Nachdem Hendrik die Sachlage geschildert hatte, schritt Cesar Godeffroy mit nachdenklichem Gesichtsausdruck vor seinem Bruder und Hendrik auf und ab. «Verstehe», murmelte er. «Ich muss Ihnen beipflichten. Das ist in der Tat alles sehr merkwürdig.» Er hatte aufmerksam zugehört und war sichtlich betroffen. «Also, ich will mich nicht aus der Verantwortung stehlen, aber in diesem Fall ist es am besten, Sie wenden sich an meinen Bruder Gustav. Er kümmert sich zur Zeit mehr um die Industrieunternehmen der Familie und wird Ihnen detailliertere Auskünfte geben können.»

Er zögerte einen Moment und machte ein besorgtes Gesicht. «Eine Lieferung mit Maschinenteilen», setzte er schließlich fort, «scheint mir ja nichts Besonderes zu sein. Bislang haben wir auch Schiffsbleche und Stahl aus England geordert. Aber was Sie mir da erzählen … vom Hof der Polizeiwache gestohlen, sagen Sie? Unglaublich!»

Hendrik zog die Liste mit Namen hervor, die Johannes Schütz zusammengestellt hatte, und legte sie vor sich auf den Tisch. «Kommt Ihnen davon ein Name bekannt vor?», fragte er Cesar Godeffroy und präzisierte sogleich: «Ich meine, im Zusammenhang mit Ihrer Maschinenfabrik?»

Godeffroy warf einen Blick auf die Liste und schüttelte den Kopf. «Wissen Sie, unser Werftbetrieb, dem ja eine Maschinenfabrik angeschlossen ist, wird nächstes Jahr umziehen. Wir haben ein fast dreißigtausend Qua-

dratmeter großes Grundstück auf dem Kleinen Grasbrook von der Finanzdeputation gemietet. Die alte Reiherstiegwerft ist nicht mehr groß genug für die Dampf-
fer, die wir bauen werden. Außerdem ist es eine Frage
der Wassertiefe. Die großen Dampfschiffe haben ja einen gehörigen Tiefgang, und bislang ist eine Vertiefung
der Fahrrinne am Reiherstieg nicht in Erwägung gezogen worden. Bis zur Fertigstellung der neuen Werft bau-
en wir dort nur noch kleinere Spezialschiffe, Schlepp-
und Flussdampfer, Ausflugsschiffe …»

«Spezialboote zur Rettung Schiffbrüchiger», vervollständigte Adolph Godeffroy, und Hendrik musste an ihr
gemeinsames Essen in Cölln's Austernstuben denken,
als Godeffroy Christian Hellwege um eine Mitfinanzie-
rung des Schiffes gebeten hatte.

«Die Werft beschäftigt schon jetzt über fünfhundert
Arbeiter. Da kann man leicht den Überblick verlieren.
Natürlich ist es möglich, dass wegen des bevorstehen-
den Umzugs alles etwas drunter und drüber gerät, aber
ich kann mir nicht vorstellen …»

Ein zaghaftes Klopfen an der Tür unterbrach Cesar
Godeffroy. Das Hausmädchen meldete Senator Kirchenpauer, und Hendrik, der in Gedanken schon bei Gustav
Godeffroy war, machte unverzüglich Anstalten aufzubrechen. Er kam jedoch nur bis zur Tür.

«Mein lieber Hendrik! Gut, dass ich Sie treffe! Eben
war noch die Rede von Ihnen!» Kirchenpauers Gesichtszüge ließen nichts Gutes erwarten. Wahrscheinlich hat
ihn gerade Dalmanns Beschwerde erreicht, dachte Hendrik und machte sich auf eine förmliche Ermahnung gefasst.

«Auch wenn man Ort und Gelegenheit anders hätte
wählen können …» Kirchenpauer warf Adolph und Ce-

213

sar Godeffroy einen entschuldigenden Blick zu, dann fuhr er fort: «Ich hatte gerade eine Unterredung mit Heinrich Boller.»

«Boller?», fragte Hendrik verständnislos. «Der Name sagt mir nichts.»

«Ja, das kann ich mir vorstellen», entgegnete Kirchenpauer. «Der gute Mann versucht seit Tagen, mit Ihnen Kontakt aufzunehmen. Anscheinend ohne Erfolg. Nun, es geht um eine Anzeige. Ärgerliche Sache.»

Jetzt fiel es Hendrik ein. Boller. Das musste der Kerl von der Deputation für das Auswandererwesen sein, der Hendrik unbedingt persönlich sprechen wollte. «Es tut mir Leid, verehrter Senator» – in Anwesenheit von Adolph und Cesar Godeffroy war es angebrachter, Kirchenpauer mit offiziellem Titel anzusprechen; es musste schließlich nicht jeder wissen, dass sie sonst einen herzlicheren Umgang pflegten –, «aber ich bin zur Zeit mit dem toten Ingenieur aus England völlig ausgelastet. Ich kann mich nicht um solche Anzeigen kümmern. Können Sie sich vorstellen, wie viele Anzeigen täglich auf unserer Wache eingehen, die Auswanderer betreffen?»

Kirchenpauer wischte Hendriks Erwiderung mit einer Handbewegung fort. «Nein, nein. Die Anzeige wurde nicht in Hamburg aufgegeben, sondern in London. Der englische Yard hat die Deputation lediglich um Unterstützung gebeten. Es geht um Rücktransporte von Auswandererkindern, die in Amerika auf Grund des Verdachts ansteckender Krankheiten abgewiesen wurden. Man hat einen Ring ausgehoben, der diese Kinder an englische Bergwerke verschachert.»

«Kinder?», fragte Adolph Godeffroy nach.

«Wie entsetzlich!», meinte sein Bruder.

«Ja, schrecklich!», bestätigte Kirchenpauer.

«Ich werde mich darum kümmern», gab Hendrik zähneknirschend zu verstehen. «Wissen Sie Einzelheiten? Warum wendet man sich an uns?»

«Nun, es handelt sich nach den Recherchen des Yard ausnahmslos um Auswandererschiffe, die vom Hamburger Hafen und von Bremerhaven aus starten», erklärte Kirchenpauer.

«Etwa auch Schiffe der Hapag?», fragte Adolph Godeffroy voller Entsetzen.

«Nein – das wäre wohl zu auffällig. Soweit mir bekannt ist, sind keine Dampfschiffe Hamburger Reedereien darunter. Die betreffenden Kapitäne arbeiten mit dem Ring zusammen und verdienen sich ein kräftiges Zubrot. Die Bergwerke zahlen für Kinder ein kleines Vermögen. Die Anzeige, die Heinrich Boller bearbeitet, betrifft ein Schiff namens Mirinda.»

Hendrik erstarrte. Die Mirinda! Kinderhandel, ein Kran und geheimnisvolle Maschinenteile, ein toter Engländer und immer wieder die Mirinda. Er versuchte vergeblich, die Einzelheiten zu einem sinnvollen Ganzen zusammenzufügen. Jedenfalls musste er handeln, und zwar unverzüglich. «Ich werde mich sofort darum kümmern!»

«Ihr Tatendrang in allen Ehren, aber *so* eilig ist es nun auch wieder nicht», dämpfte ihn Kirchenpauer.

Hendrik drehte sich um: «Und ob das eilig ist! Der tote Engländer fuhr auf der Mirinda. Das Schiff liegt am Niederhafen und wartet seit Tagen auf Wind zum Auslaufen. Und heute ist Wind!»

Im Türrahmen stieß Hendrik fast mit dem Hausmädchen zusammen, das ihn entgeistert anblickte und sogleich einen Knicks vor den Herren machte. «Entschuldigung – Sie sind doch Herr Bischop? In der Halle wartet Ihre Frau und verlangt, Sie umgehend zu sprechen.»

Hendrik brauchte nicht in die Halle zu gehen. Clara kam im selben Augenblick auf ihn zugelaufen. Sie war völlig außer Atem. «Hier bist du! Ich bin durch die halbe Stadt gerannt, um dich zu finden!» Clara fiel Hendrik mit tränenerstickter Stimme um den Hals. «Sören ist verschwunden!»

«Verschwunden? Was soll das heißen?» Hendrik blickte sich hilflos um.

«Er war gar nicht zu Hause», erklärte Clara aufgelöst und kämpfte mit den Tränen. «In der Schule war er auch nicht. Dr. Paetzold hat sich nach seiner Gesundheit erkundigt ...»

«Er ist bestimmt bei Martin ...», versuchte Hendrik sie zu beruhigen.

«Ist er nicht!», fiel sie ihm ins Wort. «Ich bin natürlich gleich zu Henny rüber. Bei Hellweges war er auch nicht!» Sie schluchzte auf. «Ich habe heute Mittag mit Martin gesprochen ... Er war ziemlich verstört. Erzählte mir etwas von einer Flaschenpost, die sie gefunden hätten, und dass Sören nachts heimlich auf der Reiherstieg-Werft gewesen sei ...»

«Auf unserer Werft?», fragte Cesar Godeffroy erschrocken.

Clara beachtete ihn gar nicht und berichtete weiter: «Dann faselte Martin irgendein zusammenhangloses Zeug von einem Tauchboot, mit dem Sören angeblich fahren würde ... Es ist bestimmt ein Unglück geschehen!»

«Auf der Reiherstieg-Werft? Wie kommt er denn da überhaupt hin?», rief Hendrik und packte Clara bei den Oberarmen.

«Er fährt doch immer mit diesem Jonas zu den Schiffbauern auf der anderen Elbseite; ich hab dir doch davon erzählt! Und als ich vorhin auf der Polizeistation war und dich suchte, habe ich Johannes Schütz davon erzählt. Er sagte», Clara fing erneut zu weinen an, «ein Jonas Dinklage hätte heute Morgen eine Anzeige wegen eines gestohlenen Ruderbootes aufgegeben ...»

Hendrik nahm Clara fester in den Arm. «Selbst wenn Sören mit diesem Boot ... Er ist ein guter Ruderer», versuchte er sie und sich selbst zu beruhigen. «Ihm wird bestimmt nichts geschehen sein!»

«Auf unserer Werft?», warf Godeffroy erneut ein und schüttelte den Kopf. «Das kann ich mir nicht vorstellen. Es ist doch eine einzige Baustelle! Also langsam ... Wir werden sofort rüberfahren und uns die Sache anschauen! Ich begleite Sie!»

«Nein!», wehrte Hendrik ab, «das ist allein Sache der Polizei! Verständigen Sie bitte Inspektor Schütz», sagte er zu Kirchenpauer gewandt. «Er soll sich um die Sache mit der Mirinda kümmern. Das Schiff darf uns nicht entwischen. Entweder ist er auf der Wache oder auf der Telegraphenstation. Und benachrichtigen Sie auch Voss von der Davidwache. Er soll mit seinen Leuten runter zum Hanf-Magazin und am Fluss Ausschau nach der Mirinda halten. Ich werde die Harburger Fähre zu den Holzhäfen nehmen, das geht am schnellsten!»

«Nehmen Sie meinen Zweispänner!», rief ihm Kirchenpauer nach. «Möbius, mein Fahrer, wartet direkt vor der Tür. Sagen Sie ihm, Sie hätten's eilig!»

«Vielen Dank!» Hendrik gab Clara einen Kuss auf die Wange und eilte zur Haustür.

Möbius verstand sofort, wie dringend es war. Er fuhr,

als wenn der Teufel persönlich hinter ihnen her sei – und er schien sichtbar Spaß daran zu haben, die Peitsche knallen zu lassen. Sein Herr hatte es offenbar nie so eilig. Er wählte den Weg über die Hohe Brücke, was um diese Zeit eigentlich ein Fehler war. Vor dem Neuen Kran staute es sich für gewöhnlich, aber Möbius lenkte die Pferde geschickt über den Fußweg, vorbei an den wartenden Wagen, deren Besitzer ihnen unflätige Beschimpfungen hinterherriefen. Nachdem sie das Zippelhaus passiert hatten, war die Straße frei, und Möbius trieb die Pferde über den Kleinen Bauhof zu noch schnellerer Fahrt an. Die Fähre erreichten sie in weniger als zehn Minuten; nur die Überfahrt schien Hendrik endlos zu dauern. Die Sorge um seinen Sohn hatte ihn sprachlos gemacht. Er konnte keinen klaren Gedanken fassen.

Endlich war das andere Ufer erreicht, und Möbius trieb die Pferde, denen bereits der Schaum am Hals stand, erneut an. Nach weiteren zehn Minuten passierten sie den Schlagbaum des Werftgeländes am Reiherstieg.

«Wohin?», fragte Möbius.

«Keine Ahnung!», entgegnete Hendrik achselzuckend und schaute sich um. Er wusste es nicht. «Da hinten!» Hendrik deutete auf das Kesselhaus, aus dessen Schlot sich eine dünne Rauchfahne in den Himmel kräuselte. «Wir fragen dort!»

«Ein Kind?», wiederholte der Kesselschmied auf Hendriks Frage. «Nee! Gör'n hab ich hier nich gesehn. Weiß ich nich! Am besten, Sie fragen Ingenieur Passen. Der is da hinten inner Baracke.» Der Mann deutete auf einen Holzverschlag am Ufer zum Reiherstieg. «Dürfen da aber eigentlich nich rein!», rief er Hendrik und Möbius hinterher, doch die beiden schenkten seinen Worten keine Aufmerksamkeit.

Passen? Hendrik versuchte, sich zu erinnern. Ja, er war sich sicher. Der Name hatte auf der Liste der Telegraphenstation gestanden. Ein Ingenieur also.

«Haben Sie eine Pistole?», fragte Hendrik, nachdem Möbius das Gespann vor der Baracke zum Stehen gebracht hatte. Die große Kiste, die neben der Tür stand, war nicht zu übersehen gewesen. Auch ohne die Aufschrift «Appleby Bros.» hätte Hendrik sie sofort wiedererkannt. Hier waren sie also richtig.

Möbius warf Hendrik nur kurz einen fragenden Blick zu, dann griff er in einen kleinen Kasten hinter der Bank. «Die Pistole des Herrn Senators!» Es war einer der neuartigen Trommelrevolver aus Amerika. Hendrik hatte davon gehört. «Damit könn' Se bestimmt besser umgehen.» Er reichte Hendrik die Waffe und zog eine alte Duellpistole mit Zündstein und gebogenem Holzgriff hervor. «Na denn ma' los!», brummte er und sprang vom Wagen.

Die Baracke war unverschlossen; sie schien leer zu sein. Hendrik und Möbius standen, die Pistolen im Anschlag, inmitten des Raumes und horchten gespannt auf das Zischen, das aus dem Bretterverschlag zu hören war.

«Da drin!», zischte Hendrik und öffnete vorsichtig die Tür. Möbius stand direkt hinter ihm. Nachdem sie die Galerie betreten hatten, sahen sie, was bereits Sören in Erstaunen versetzt hatte.

«Was ist das?», fragte Möbius leise und deutete auf das metallene Ungetüm, das anscheinend unter Dampf stand. Das zischende Geräusch kam eindeutig vom Heck des Rumpfes.

«Hab ich noch nie gesehen», antwortete Hendrik

und starrte auf das Schiff. Was hatte Martin erzählt? «Vielleicht ein Tauchboot», fügte er hinzu.

«Sie meinen, ein Boot, das unter Wasser fährt?», fragte Möbius ungläubig.

«Werden wir gleich wissen», sagte Hendrik und lief die Stufen der eisernen Treppe herunter. «Hallo!», rief er laut, aber nichts rührte sich. Als sie auf dem Ponton standen, wandte sich Hendrik zu Möbius um: «Wenn hier jemand ist, dann ist er da drin!» Er nahm den Knauf der Pistole und schlug mehrmals gegen den eisernen Rumpf.

Im Innern rumpelte es.

Nach kurzer Zeit öffnete sich eine Luke, und ein Kopf erschien. «Was machen Sie hier! Zutritt verboten! Wer sind Sie?!» Der Mann war völlig außer sich. Er krabbelte aus dem Schiffsrumpf, und sogleich erschien ein weiterer Kopf in der Öffnung.

Hendrik hielt die Pistole sichtbar vor sich. «Polizei!», rief er. «Die Fragen stelle ich hier! Wer sind Sie und was ist *das* hier?» Er deutete auf das Boot.

«Du und deine famosen Pläne!» Auch der zweite Mann krabbelte heraus. Er war deutlich kleiner als der andere. «Mensch, Passen, hab ich nicht gesagt, das gibt Ärger mit dem Jungen? Wir hätten verschwinden sollen.»

«Wo ist mein Sohn?», schrie Hendrik entsetzt, dem schlagartig bewusst wurde, dass der Mordfall, an dem er arbeitete, und das Verschwinden von Sören irgendwie zusammenhingen. «Wo ist Sören? Was habt ihr mit ihm gemacht?»

Passen und Jurjew standen auf dem Ponton und starrten schweigend auf die Waffe in Hendriks Hand. «Er hat hier rumspioniert, der Kleine», sagte Passen schließlich. «Ihm ist nichts geschehen.»

«Wo ist er?», fragte Hendrik und richtete den Revolver auf Passen.

«Los, sag schon!», meinte Jurjew und blickte Passen an. «Jetzt ist sowieso alles egal. Wo hast du den Bengel hingebracht!»

«Der ist auf dem Weg nach Amerika», sagte Passen undeutlich.

«Was?!», rief Hendrik, der glaubte, sich verhört zu haben, weil eben jetzt die Dampfmaschine wieder zu zischen begann.

Jurjew blickte Passen entgeistert an.

«Der ist auf dem Weg nach Amerika!», wiederholte Passen.

«Amerika? Was soll das heißen?», schrie Hendrik.

«Er ist auf einem Schiff!», erklärte Passen zögernd und warf Hendrik unter gesenkten Lidern einen Blick zu.

«Sagen Sie, auf welchem Schiff, wenn Ihnen Ihr Leben lieb ist, Mann!»

«Mirinda!», sagte Passen. «Das Schiff heißt Mirinda!»

«Oh, mein Gott», stammelte Hendrik. Sören auf der Mirinda. Er konnte nur hoffen, dass Schütz oder Voss das Schiff noch erwischen würden. Für einen Augenblick ließ seine Wachsamkeit nach. Schon hatte Passen sich gebückt und griff nach einer Eisenstange, die auf dem Boden lag. «Lassen Sie die fallen, Mann!», rief Hendrik, aber Passen stürmte wütend auf ihn los. «Stehen bleiben, oder ich schieße!»

«Vorsicht!», rief Möbius, und Hendrik ließ sich auf den Boden fallen, um dem Schlag auszuweichen –

Dann krachte ein Schuss. Passen stürzte und landete genau auf Hendrik. Er hielt sich die Schulter und wälzte sich auf dem Boden. Hendrik rappelte sich auf und wandte sich mit einem dankbaren Blick Möbius zu, der die Pistole noch im Anschlag hielt.

«Das wird Sie teuer zu stehen kommen», ächzte Passen mit schmerzverzerrtem Gesicht. «Wissen Sie überhaupt, für wen wir hier arbeiten? Man wird Sie zur Verantwortung ziehen!»

Hendrik beugte sich über den Verletzten und packte ihn unsanft am Kragen. «Es ist mir ehrlich gesagt scheißegal, für wen oder was Sie arbeiten», sagte er. «Aber wenn meinem Sohn auch nur das Geringste zustößt, dann gnade Ihnen Gott: Sie werden es bedauern, dass Möbius so ein guter Schütze ist und Sie nicht erschossen hat.» Die Pistole in der Hand, wandte er sich Jurjew zu, der das Geschehen regungslos mit angeschaut hatte. «Kann das Ding auslaufen?», fragte er und deutete mit dem Lauf der Waffe in Richtung Tauchboot.

Jurjew nickte zögerlich.

«Dann los!» Hendrik drehte sich zu Möbius, der ihn ungläubig anstarrte. «Möbius! Sie kümmern sich um den da!» Hendrik zeigte auf Passen, der am Boden saß und sich die Schulter hielt.

«Mach ich gerne!», entgegnete Möbius. «Sie wollen doch nicht damit …»

«Oh doch, das werde ich!», sagte Hendrik und ging auf Jurjew zu. «Und wer sind Sie?»

«Oberleutnant Jurjew aus Kronstadt.»

Hendrik blickte ihn fragend an. «Russland? Gut, das klären wir später. Jetzt setzen Sie das Ding in Bewegung, aber schnell. Wir fahren rüber zum Niederhafen. Vielleicht erwischen wir die Mirinda noch.»

Hendrik wurde sehr mulmig zu Mute, als Jurjew hinter ihm die Luke geschlossen hatte. Nicht, dass er Angst vor dem Russen hatte – er war viel zu schmächtig, als dass Hendrik es nicht jederzeit mit ihm hätte aufnehmen können, und außerdem hielt Hendrik den Revolver in der Hand. Aber die Vorstellung, mit dem Schiff unter Wasser ... Hendrik mochte nicht weiter darüber nachdenken. Was ihn zu diesem Entschluss getrieben hatte, war einzig die Sorge um Sören. Hoffentlich war ihm nichts geschehen.

«Sie müssen ein wenig helfen!», rief ihm Jurjew zu. «Das Boot ist für zwei Mann Besatzung konstruiert. Sie bedienen die Maschine und ich werde steuern!»

Hendrik nickte. Der Lärm der Dampfmaschine war ohrenbetäubend. «Sie müssen mir nur sagen, was ich machen soll!»

Für umständliche Erklärungen war keine Zeit. Hendrik verstand zwar nicht, was er tat, aber er machte genau, was Jurjew ihm sagte. Und tatsächlich, das Boot setzte sich in Bewegung. Der Boden unter ihren Füßen begann zu schwanken. Langsam schob sich der eiserne Rumpf aus seinem Versteck, und nachdem Hendrik einige Ventile geöffnet, andere geschlossen und Jurjew zwei Hebel umgelegt hatte, nahm das Boot wirklich Fahrt auf.

«Die Dampfmaschine haben wir noch in Russland entwickelt», erklärte Jurjew unaufgefordert, als er merkte, dass Hendrik sich neugierig und etwas ängstlich umblickte. «Wir konnten sie dort aber nicht ausprobieren. Das Tauchschiff, das wir in Kronstadt zusammen mit einem deutschen Ingenieur gebaut haben, war zu klein für eine eigene Maschine. Es wurde durch große Treträder angetrieben. Aber die Dampfmaschine funktioniert natürlich nur über Wasser.»

Sie fuhren tatsächlich nicht ganz unter Wasser – zumindest der vordere Wulst ragte noch über die Wasseroberfläche. Wie Hendrik durch die kleinen Scheiben erkennen konnte, wurde es draußen bereits dämmrig.

Das Gefühl, fast vollständig untergetaucht zu sein, war dennoch unheimlich. An einigen Stellen sickerte zwischen den eisernen Platten Wasser durch die Bordwand. Jurjew ließ dies anscheinend völlig kalt. Er machte eine abschätzige Handbewegung, als Hendrik ihn darauf hinwies. Wahrscheinlich war es normal. Viel Hilfe benötigte der Oberleutnant nicht. Hin und wieder musste Hendrik an einem der großen Rändelräder drehen, woraufhin sich der Takt der Dampfmaschine änderte oder nur ein lautes Zischen zu hören war.

«Zumindest ein Teil des Schiffes muss noch aus dem Wasser herausragen, damit die Luft für die Dampfmaschine zu- und abgeführt werden kann», erklärte Jurjew weiter und deutete auf ein Rohrsystem an der Decke des Schiffes. «Dafür haben wir diese Tauch- und Luftrohre, die man nach oben herausschieben kann.»

«Und ganz unter Wasser?», fragte Hendrik.

Jurjew kniff die Augen zusammen. «Können wir ungefähr eine Viertelstunde bleiben, dann wird die Luft knapp. Aber wir experimentieren mit einer Anlage zur Lufterneuerung.»

«Wie kommt das Schiff wieder nach oben?»

«Hier.» Jurjew zeigte auf ein Gebilde aus armdicken Rohren. «Mit dieser Vorrichtung kann man Luft in die Wasserkammern pumpen. Die Luft drückt das Wasser wieder heraus.»

Plötzlich rief er Hendrik zu sich nach vorne. «Da ist ein Segelschiff vor uns. Kommen Sie und schauen Sie!»

Hendrik blickte durch die winzige Scheibe. Direkt

neben ihm schwappte das Wasser von außen gegen das Glas. Ihn schwindelte. Aus dieser Perspektive hatte er noch nie zuvor ein Schiff in Fahrt gesehen. Ja, kein Zweifel. Das war die Mirinda. Auch wenn er den Schriftzug am Heck nicht lesen konnte, Hendrik erkannte die Bark an dem grünen Streifen über der Wasserlinie. «Das ist das Schiff! Können wir sie stoppen?»

«Ich werd's versuchen», sagte Jurjew. «Er ist sehr schnell, aber er segelt an der Kreuz.»

«Ich muss an Bord!», rief Hendrik.

Jurjew nickte ihm zu. «Ich weiß!», sagte er. «Ich glaube, die da vorne haben uns bemerkt.»

«Können wir nicht mehr Dampf auf die Maschine geben?»

«Wir machen schon Volldampf!», erklärte Jurjew und warf einen kritischen Blick auf den Kessel. «Drehen Sie das Rad dort hinten auf!», meinte er schließlich.

«Was ist das?» Hendrik erkannte die eiserne Spindel, mit der Hannibal Moltrecht im Hof der Wache herumhantiert hatte.

«Wir schalten die Pressluftmaschine zu!», rief Jurjew.

«Die Maschine, die Sie vom Hof der Wache gestohlen haben?!» Hendrik drehte an der Spindel.

Jurjew nickte. «Das war Passens Idee!», rief er.

«Hat Passen auch den englischen Ingenieur erschlagen?!»

«Passen sagt, nein.» Jurjew schüttelte energisch den Kopf. «Der Mann war bereits tot, als Passen ihn bei den Kisten fand. Passen mag ein Idiot sein, und er trinkt zu viel, aber ein Mörder ist er nicht! Haben Sie das Rad aufgedreht?!»

«Ja!»

«Gut! Was steht auf dem Manometer?»

«Wo?»

«Das kleine Anzeigegerät mit der runden Skala!»

«Der Zeiger ist etwas über der Zwei!», rief Hendrik.

Jurjew murmelte etwas Unverständliches und betätigte eine lange Hebelstange. Kurz darauf setzte ein Brummen ein und das gesamte Boot fing an zu zittern. Ein freudiges Lächeln huschte über Jurjews Gesicht. «Es funktioniert», rief er triumphierend.

«Wir nehmen mehr Fahrt auf?», fragte Hendrik.

«Karascho! Bei der nächsten Wende haben wir sie!», bestätigte Jurjew, aber plötzlich verfinsterte sich seine Miene. «Aber was macht der Idiot?!» Jurjew drehte hastig am Steuerrad, und das Boot neigte sich sofort so stark, dass Hendrik das Gleichgewicht verlor und gegen die Bordwand fiel. «Er drängt uns ab, der Idiot! Verdammt, es ist nicht tief genug zum Tauchen. Halten Sie sich fest, wir rammen das Schiff!»

Hendrik warf einen ängstlichen Blick auf die Luke über ihm.

«Ich steuere in sein Ruder! Festhalten!», schrie Jurjew.

Es krachte entsetzlich und das Boot stoppte so augenblicklich, dass Hendrik zu Jurjew nach vorne geschleudert wurde. Ein Rohr riss aus der Verankerung, und heiße Luft zischte Hendrik entgegen.

«Sind Sie in Ordnung?», schrie er.

«Ja, verdammt! Stellen Sie die Maschine aus! Wir sitzen fest!» Jurjew blickte aus dem kleinen Fenster. Ein Sprung ging durch die Scheibe. An mehreren Stellen strömte Wasser durch die Bordwand. «Das ist nicht so schlimm», meinte er. «Drehen Sie bloß den Haupthahn vom Kessel der Dampfmaschine auf *Ablassen*! Das rote Rad, schnell!»

Hendrik drehte mit allen Kräften am Stellrad, aber die Spindel rührte sich nicht. «Die ist verbogen!», rief er.

«Dann machen Sie, dass Sie hier rauskommen! Ich kümmere mich drum. Los, gehen Sie schon und suchen Sie Ihren Sohn!» Jurjew blutete an der Stirn. Hendrik kletterte die Stufen hinauf und drehte am Lukenrad. Er hoffte, dass es nicht auch verbogen war, doch die Luke ließ sich problemlos öffnen. Er krabbelte auf den Rumpf des Tauchboots. Direkt vor ihm erhob sich das Heck der Mirinda. Mehrere Matrosen beugten sich über die Reling. Ein großes Loch klaffte dort, wo zuvor das Ruderblatt des Seglers angeschlagen gewesen war.

«Verdammt! Was machen Sie da?», rief einer. «Was ist das für ein Schiff?»

Hendrik richtete sich auf. Wasser schwappte über seine Füße. «Polizei!», rief er. «Lassen Sie eine Strickleiter herunter! Ich komme an Bord.»

Eine Ankerkette rasselte. Kurze Zeit später wurde eine Jakobsleiter über die Bordwand geworfen, und Hendrik kletterte die hölzernen Stufen empor.

«Wo ist der Kapitän?», fragte er die Matrosen, die immer noch ungläubig auf das eiserne Gefährt starrten, das sich von hinten förmlich in den Segler gebohrt hatte.

«In seiner Kajüte», stammelte einer. «Ich weiß nicht, warum er nicht an Deck kommt. Er macht nicht auf.»

Hendrik hastete über das Deck. Es herrschte das reinste Chaos. Überall liefen Matrosen umher, einige von ihnen waren hektisch damit beschäftigt, die Segel zu bergen, andere irrten anscheinend planlos über das Deck. Das Schiff hatte Schlagseite. Aus dem Niedergang zum Zwischendeck waren Schreie zu hören.

Hendrik hielt einen Matrosen am Arm fest. «Ich suche einen Jungen!», schrie er ihn an. «Vierzehn Jahre alt, recht groß, braunes Haar, leicht gekräuselt!»

Der Mann riss sich los. «Es sind viele Kinder unter den Passagieren im Zwischendeck!»

Hendrik kämpfte sich bis zum Niedergang vor. «Öffnen Sie die Türen, Matrose!», herrschte Hendrik einen bärtigen Seemann an, der ihm den Weg versperrte.

«Das darf ich nicht ohne Befehl!»

«Das ist ein Befehl, Mann!», schrie Hendrik. «Oder wollen Sie, dass die Leute alle ertrinken. Das Schiff säuft ab, falls Sie's noch nicht gemerkt haben sollten!» In der Dämmerung konnte er erkennen, wie sich zwei Kähne dem Schiff näherten. Er glaubte, Johannes Schütz auf dem einen Boot erkannt zu haben. Der Inspektor stand am Bug und schwenkte eine Laterne. «Das wurde ja auch Zeit», murmelte Hendrik. Er stieß den Matrosen beiseite und brach mit einem beherzten Tritt die Tür zum Niedergang auf. Augenblicke später wurde Hendrik von den Passagieren, die hinter der Tür gefangen gewesen waren und nun förmlich an Deck strömten, niedergerannt. Es war ein nicht abreißender Strom von Menschen, Männer, Frauen und Kinder in panischer Angst. Einige von ihnen sprangen sofort über Bord. Andere liefen kreischend an die Reling und klammerten sich dort fest. Hendrik dachte kurz an das Gespräch, dem er im Hause Merck beigewohnt hatte. Er dachte an die Enge und die hygienischen Verhältnisse und fragte sich, was für eine Not die Menschen dazu trieb, sich solche Qualen aufzubürden. Dann kämpfte er sich einen Weg durch die Massen bis zur Kapitänskajüte im Achterdeck.

Wie der Matrose es gesagt hatte, war die Tür verriegelt. Hendrik zögerte nicht eine Sekunde. Er steckte die Pistole in die Hosentasche und warf sich mit dem Körper gegen die schwere Tür, die mit einem splitternden Krachen nachgab.

Er fand sich auf dem Boden der Kapitänskajüte wieder. Als er sich aufrappelte, blickte er in die Mündung eines Pistolenlaufs.

«Vater!», rief Sören. Er war an einen Stuhl gefesselt, neben ihm stand ein Mann, der Hendrik voller Hass anblickte.

«Ein Akt der Piraterie», sagte der Kapitän mit ruhiger Stimme und richtete die Waffe auf Sören. «Was auch immer das war, womit Sie mein Schiff gekapert haben, Sie werden es nicht lebend verlassen.»

«Sie haben keine Chance», antwortete Hendrik und versuchte, die Ruhe zu bewahren. Der Mann schien zu allem entschlossen, und Hendrik wollte nichts tun, was das Leben seines Sohnes in Gefahr bringen konnte. Seine eigene Waffe steckte unerreichbar in der Hosentasche. «Meine Leute sind bereits auf dem Weg hierher», erklärte Hendrik. «Kindesraub und Entführung sind schlimme Verbrechen. Machen Sie es nicht noch schlimmer, indem Sie sich einen Mord aufhalsen.»

Der Kapitän lachte höhnisch. «*Einen* Mord …» Er stutzte einen Moment lang. «Ach, dann kommen Sie gar nicht wegen Parker?»

«Parker?», fragte Hendrik verblüfft. «Was hat Charles Parker damit zu tun?»

«Tun Sie nicht so scheinheilig. Sie wissen doch genau, dass Parker uns beobachtet hat, als wir eine Fuhre in London auslieferten. Er kam einfach nur einige Stunden zu früh und sah, was nicht für seine Augen bestimmt war. Er hat mich natürlich wiedererkannt. Mir blieb gar nichts anderes übrig, als ihn zu beseitigen.»

Eine Fuhre? Langsam dämmerte es Hendrik, was vorgefallen sein musste. «Meinen Sie mit Fuhre die armseligen Kinder, die Sie an englische Minenbetreiber verkauft haben? Was sind Sie bloß für ein Mensch?»

«Wissen Sie, was für ein Preiskrieg unter den Reedereien herrscht, seitdem die ganzen Dampfer fahren?»

«Ich hätte die Gören auch auf dem Atlantik über Bord werfen können!» Der Kapitän lachte bitter. «So habe ich zumindest den zusätzlichen Proviant wieder eingefahren … Und jetzt ist es vorbei.» Er hob den Lauf der Pistole und zielte genau auf Hendrik, aber ehe er abdrücken konnte, erschütterte eine gewaltige Explosion das Heck des Schiffes. Scheiben zersprangen und Holz splitterte, der Boden der Kajüte riss an mehreren Stellen auf und die gesamte Einrichtung flog durch den Raum. Auch Hendrik wurde in eine Ecke geschleudert. Das ganze Schiff legte sich langsam auf die andere Seite. Sören lag, immer noch an den Stuhl gefesselt, hinter dem großen Tisch aus Mahagoni und rutschte auf Hendrik zu. Geistesgegenwärtig griff Hendrik in die Hosentasche und zog den Revolver heraus. Bis auf eine Petroleumlampe, die quietschend am Deckenhaken pendelte, hatte die Explosion alle Lichter gelöscht. Der hintere Teil des Raumes lag völlig im Dunkeln. Hendrik konnte den Kapitän nirgends entdecken. Vorsichtig robbte er zu Sören. Sein linkes Bein schmerzte.

«Alles in Ordnung, mein Junge?», flüsterte er und zog das Takelmesser aus der anderen Hosentasche.

«Ja, Vater – mir geht es gut.»

Hendrik schnitt die Fesseln durch, und Sören klammerte sich sofort an ihn. «Wir müssen hier raus», sagte Hendrik und versuchte, aufzustehen, aber das Bein ließ sich nicht bewegen. Mit schmerzverzerrtem Ge-

sicht sank er zurück auf den Boden. Seine Hand taste-
te kontrollierend das verletzte Gliedmaß ab. Anscheinend war es gebrochen. Er spürte etwas Feuchtes und
zog erschrocken die Hand zurück. Sie war voller Blut.
Stimmen ertönten auf dem Gang vor der Tür. Schüt-
zend hielt Hendrik den Arm um Sören, in der anderen
Hand die schussbereite Waffe. Alles schien in Bewegung. Ein seltsames Rauschen ertönte, aber Hendrik
konnte sich nicht erklären, woher es kam. Es schien
überall zu sein. Die Kajüte, oder das, was von ihr übrig
geblieben war, verschwomm vor seinen Augen. Für einen kurzen Augenblick glaubte Hendrik, das rundliche
Gesicht von Johannes Schütz zu erkennen, dann wurde
es dunkel.

Das Erste, was Hendrik sah, als er die Augen aufschlug,
war Conrad, der zu seinen Füßen stand und ihn angrins-
te. Dann wanderte sein Blick zu Clara. Sie saß neben
ihm am Bett und hielt seine Hand. «Sören?», fragte er
sofort. Sein Mund war trocken und er hatte Schwierigkeiten zu sprechen.

«Sören geht es gut», sagte Clara und beugte sich über
ihn. «Er ist draußen im Flur. Um wen wir uns Sorgen
gemacht haben, das warst du.» Sie strahlte Hendrik
überglücklich an.

«Und der Kapitän der Mirinda?», flüsterte Hendrik
und musste schlucken.

Conrad reichte ihm ein Glas Wasser. «Exitus – so wie
du fast auch. Hattest 'ne Menge Blut verloren.»

Hendrik versuchte, sich an das Geschehen in der Kajüte zu erinnern. «Was ist eigentlich passiert …?»

Conrad musterte ihn skeptisch und lächelte. «Na?
Hat der Kopf doch was abgekriegt?»

«Quatsch!», entgegnete Hendrik und richtete sich mühsam ein wenig auf. Nach einem Schluck Wasser ging es mit dem Sprechen schon besser.

«Es gab wohl eine heftige Explosion», erklärte Conrad. «Du und Sören, ihr habt unglaubliches Glück gehabt. Sören hat bis auf ein paar Schrammen gar nichts abgekriegt. Der hintere Teil des Schiffes ist förmlich auseinander geflogen. Wird wohl ein Teil der Ladung gewesen sein ... vielleicht Schießpulver oder so etwas.»

«Jurjew», murmelte Hendrik. Anscheinend war der Kessel vom Tauchboot explodiert und hatte das Schiff auseinander gerissen. Ja, so musste es gewesen sein. Hendrik betastete sein Bein.

«Es ist noch dran», beruhigte ihn Conrad. «Ich habe es, so gut es ging, zusammengeflickt. Aber du wirst dich eine Zeit lang schonen müssen», erklärte er im sachlichen Tonfall des Mediziners.

«Wie lange?»

«Hmm. Ein, zwei Tage bleibst du auf jeden Fall noch hier.» Er warf Clara einen flüchtigen Blick zu. «Dann liegt es an der Tochter des Chirurgen, wie gut sie ihren Mann pflegt ... So, jetzt lass ich euch mal allein.»

Hendrik und Clara blickten sich schweigend an, bis Conrad den Raum verlassen hatte, dann konnte sich Clara nicht mehr zurückhalten, und sie fiel Hendrik schluchzend um den Hals.

«Ich hab mir solche Sorgen gemacht ... um dich ... um Sören ... ich bin so froh ... diese Ungewissheit ... die zwei Tage ohne dich waren so schrecklich.»

«Zwei Tage?» Hendrik blickte Clara fragend an.

«Ja. Länger würde ich es ohne dich und Sören doch gar nicht aushalten. Man weiß ja erst, wie sehr man an jemandem hängt, wenn ... Also, ich hab mir das mit

Brisbane aus dem Kopf geschlagen. Eine so lange Zeit könnte ich gar nicht ohne euch sein.»

«Brisbane?» Ach ja, Australien. Wie hatte er das vergessen können? Aber an Claras Pläne hatte er in diesem Moment gar nicht gedacht. Er hatte sich nur gewundert, dass er seit zwei Tagen hier lag.

Clara atmete einmal tief durch. «Stell dir vor, gestern Abend traf ich zufällig Ernst Merck, hier im Krankenhaus. Er hat Vater wegen irgendeiner medizinischen Sache konsultiert. Und Merck hat mich doch tatsächlich gefragt, ob ich es mir vorstellen könnte, im Zoologischen Garten ... Also der zukünftige Direktor, ein gewisser Dr. Brehm, bräuchte eine Assistenz ... und Merck weiß ja über Vater, dass ich mit den Naturwissenschaften vertraut bin. Na ja, er hat mich also gefragt ...»

Hendrik verkniff sich ein Lächeln und versuchte, Clara neugierig anzublicken.

«Ich hab natürlich noch nicht zugesagt und meinte zu ihm, ich müsse das erst einmal mit dir besprechen – wenn es dir besser geht», fügte sie rasch hinzu.

«Zoologischer Garten? Hmm. Ist ja nur unwesentlich näher dran als Brisbane.» Hendrik musste nun doch schmunzeln. «Also von mir aus ...»

Es klopfte an der Tür, die sich sogleich öffnete. Zuerst war nur ein großer Blumenstrauß zu sehen, aber so groß, dass Johannes Schütz sich dahinter verstecken konnte, war er dann doch nicht.

«’tschuldigung, wenn ich störe – bin auch gleich wieder weg. Von der Wache. Mit den besten Wünschen zur baldigen Genesung.»

«Mensch, Johannes! Komm rein!» Hendrik versuchte sich, so gut es ging, im Bett aufzurichten. «Fall abgeschlossen?», fragte er.

Schütz stellte die Blumen ins Fenster und nickte. «Die Leiche des Kapitäns haben wir im Wasser treibend gefunden – war nicht mehr viel von übrig. Die Besatzung, zumindest die Leute, die eingeweiht waren, haben wir eingelocht. Passen sitzt auch. Schweigt allerdings noch wie ein Toter. Tja, und der Kran ...»

«Was?», fragte Hendrik neugierig.

Schütz grinste. «War'n Kinderspiel! Gestern war Direktor Dalmann da und hat sich entschuldigt.»

Hendrik nickte erleichtert.

«Und übrigens ...»

«Ja?»

«Weißt du eigentlich, dass du mich fast erschossen hättest?», fragte Schütz.

«Nein! Wieso?» Hendrik schüttelte entsetzt den Kopf.

«Na, ist ja nun auch egal – erklär ich dir, wenn du wieder auf den Beinen bist. Dann zeig ich dir auch, wo man Patronen in so einen Trommelrevolver reinsteckt.»

«Willst du damit sagen, das Ding war gar nicht geladen?»

«Gott sei Dank nicht – sonst läg ich jetzt hier.» Schütz wandte sich der Tür zu. «Auf dem Flur wartet übrigens Senator Kirchenpauer.»

«Ja? Schick ihn rein! Und danke für den Besuch!»

«Ich geh dann mal so lange zu Sören», sagte Clara und erhob sich, als Kirchenpauer eintrat.

«Meinen Glückwunsch zum Erfolg, lieber Bischop. Tadellose Arbeit – wirklich tadellos. Das war ja wohl in allerletzter Sekunde. Möbius hat mir natürlich alles erzählt.»

«Guter Mann, Ihr Fahrer.»

«Ja, ja, in der Tat. Konnte man ja auch nicht ahnen,

dass Ihr Sohn ... Nun, ist ja noch mal alles gut gegangen. Wie geht's Ihrem Bein?»

«Ist noch dran, sagt Medicus Roever. Wird aber wohl 'ne Weile dauern.»

«Richtig so. Spannen Sie mal ruhig aus. Haben Sie sich ja auch verdient.» Kirchenpauer setzte sich auf den Stuhl neben Hendriks Krankenbett.

«Was mich interessieren würde ...» Hendrik zögerte. Der Senator blickte Hendrik freundlich an. «Ja?»

«In wessen Auftrag haben Passen und Jurjew denn eigentlich das Tauchboot gebaut?»

«Jurjew? Der Name Jurjew sagt mir nichts. Klingt russisch.»

«Der Steuermann. Ein Russe», erklärte Hendrik. «Als das Tauchboot explodiert ist ... Hat man ihn nicht gefunden?»

Kirchenpauer zupfte ein Stäubchen vom Ärmel seines Gehrocks. «Ja, also ... Mit dem Boot ist das so eine Sache. Deswegen wollte ich auch mit Ihnen sprechen.»

«Aha. Dachte ich mir schon so, dass das kein normaler Krankenbesuch ist.»

«Richtig, Bischop. Also, ich bin der Meinung, wir sollten die Geschichte mit dem angeblichen Tauchboot nicht an die Öffentlichkeit zerren.»

«Wie?» Hendrik schreckte hoch.

«Nun, es ist besser, wenn niemand von dem Boot erfährt.»

«Wer steckt dahinter?», fragte Hendrik.

Kirchenpauer tätschelte besänftigend Hendriks Hand. «Herr Commissarius, glauben Sie mir, ich weiß es wirklich nicht. Passen schweigt – und es gibt anscheinend Leute, denen daran gelegen ist, dass die Sache vertraulich behandelt wird.»

«Wer sollte das sein? Ich kann mir nicht vorstellen, dass Sie als Senator ...»

«Zumindest ist es niemand aus der Stadt», unterbrach ihn Kirchenpauer. «So viel ist sicher. Passen hatte aber schon Besuch. Zwei Advokaten der Kanzlei Jussuf & Claussen. Aus Berlin. Sehr angesehene Leute ...»

«Preußen?», fragte Hendrik und blickte den Senator an.

«Glauben Sie mir, ich würde es Ihnen sagen, wenn ich es wüsste.»

«Hmm.» Hendrik machte ein nachdenkliches Gesicht. Das hatte er nicht erwartet. «Was ist mit Möbius, Ihrem Kutscher?», fragte er. «Möbius hat das Boot gesehen.»

Der Senator schüttelte langsam den Kopf. «Er erinnert sich *leider* nicht, wie es aussah.»

«Und die Mannschaft der Mirinda?», hakte Hendrik nach.

«Die Mirinda ist mit einem Wal kollidiert.» Kirchenpauer holte eine Zeitung hervor und deutete auf den Titel. «Ich lasse sie Ihnen hier – damit Sie wissen, was so alles passiert ist in der Welt.»

«Ein Wal? In der Elbe? So langsam verstehe ich.»

«Sehr gut, Bischof. Ich wusste, dass ich mich auf Sie verlassen kann.» Kirchenpauer zwinkerte Hendrik zu.

«Das konnten Sie doch schon immer», antwortete Hendrik im gleichen Tonfall. Deutlicher konnte er Kirchenpauer nicht zu verstehen geben, dass er zwar Widerwillen verspürte, aber letztendlich doch keine andere Möglichkeit sah, als dessen Spiel mitzuspielen.

«Wenn ich mich irgendwie erkenntlich zeigen kann ...?»

«Danke.» Hendrik schüttelte den Kopf. Dann fiel ihm die Angelegenheit mit Hübbe ein. «Ja, doch», korrigierte er sich schnell, «da gibt es doch etwas.»

Der Senator hob die Augenbrauen. «Und das wäre?»

«Es geht mehr um … sagen wir einfach: Alle haben etwas davon.»

«Ja?» Kirchenpauer beugte sich vor.

«Während meiner Recherchen fiel mir zufällig ein recht brisantes Papier in die Hände», log Hendrik. «Es belegt Grundstücksverkäufe auf dem Grasbrook. Das ist zwar schon eine Weile her, aber Sie erinnern sich doch sicherlich, was Hübbe damals zu Protokoll gegeben hat?»

Kirchenpauer nickte langsam. «Ich denke schon.»

«Nun», fuhr Hendrik fort, «das Papier belegt sozusagen, dass Hübbe mit seinem Vorwurf die Sache recht gut traf …»

Die Lippen des Senators kräuselten sich. «Verstehe.»

«Vielleicht könnte man sich dem ehemaligen Wasserbaudirektor gegenüber irgendwie erkenntlich zeigen. Auf jeden Fall wäre es nur zu gerecht, die Suspendierung einfach ohne viel Wirbel aufzuheben.»

Kirchenpauer erhob sich. «Ich denke, das ließe sich einrichten. Ich werde sehen, was uns da an Möglichkeiten gegeben ist. Sonst noch irgendwas?»

«Ja», sagte Hendrik. «Ein, zwei Mann mehr auf der Wache und … es wäre schön, wenn Sie meine Frau reinbitten könnten, wenn Sie gehen. Was ist übrigens mit meinem Sohn? Er hat das Tauchboot doch auch gesehen.»

«Der Filius?» Der Senator hatte bereits die Türklinke in der Hand. «Das habe ich schon geregelt. Sehr vernünftig, Ihr Sohn. Ein richtiger Seebär. Gute Besserung.»

Sören konnte es gar nicht abwarten, seinen Vater zu

begrüßen. Freudestrahlend kam er ins Zimmer gerannt und fiel Hendrik um den Hals.

«Toll, das Messer! Vielen Dank!»

«Was für ein Glück, dass ich daran gedacht habe. Ich hab damit deine Fesseln durchgeschnitten.»

«Ich weiß! Und jetzt kann ich es ja auch richtig gebrauchen!»

«So?» Hendrik warf Clara, die hinter Sören ins Zimmer gekommen war, einen fragenden Blick zu, aber Clara zuckte ahnungslos mit den Schultern.

«Du machst dir keine Vorstellungen, wie ich mich auf das Boot freue», fuhr Sören fort und nahm auf der Bettkante Platz.

«Boot?», fragte Hendrik.

Sören lachte. «Du brauchst dich gar nicht zu verstellen. Der Herr Senator hat mir alles erzählt. Dass du mir ein eigenes Boot gekauft hast, eine kleine Jolle, mit der ich auf der Alster segeln kann.»

«Sag mal, Sören, wann hat Senator Kirchenpauer dir das denn erzählt?», fragte Hendrik.

«Na, eben gerade, als wir über … ich soll ja nicht mehr darüber sprechen, aber du weißt ja, eben über den Wal, diesen eisernen Wal gesprochen haben.»

Hendrik nickte. Daher also wehte der Wind. Mit Speck fängt man Mäuse.

«Aber Vater?»

«Hmm.»

«Bist du wirklich mit dem Boot gefahren?», fragte Sören im Flüsterton.

«Welches Boot denn?», fragte Hendrik lächelnd zurück. Sören zog einen Schmollmund. «Na gut! Aber als du mich befreit hast … Woher wusstest du eigentlich, wo ich war?»

«Ach, weißt du, Väter wissen eigentlich immer alles –
fast alles.» Er blickte Clara an. «Und Mütter auch», fügte er hinzu. Clara lächelte, griff nach Hendriks Hand
und gab ihm einen langen und zärtlichen Kuss.

~ *Epilog* ~

*F*ünfzehn Jahre sind seit dem «Toten im Fleet» verstrichen, und auch im Jahre 1862 sind die Geschehnisse und die polizeiliche Ermittlungsarbeit von Commissarius Hendrik Bischop frei erfunden. Bei den Personen, denen der fiktive Held auf seinen Streifzügen
durch die Hamburger Geschichte begegnet, hat der Autor ebenfalls erneut geschummelt. Hendrik, Clara und
Sören Bischop sowie Christian, Henriette und Martin
Hellwege, Amtsmedicus Conrad Roever und die Polizei-
inspektoren Johannes Schütz und Henning Voss sind
Produkte seiner Phantasie. Auch die Kanzlei Jussuf &
Claussen, einen Werftbesitzer namens Thorwald Larssen, einen Ingenieur Jörn Passen, Jonas Dinklage, den
Lehrer Dr. Paetzold sowie den Fahrer Möbius hat es
nach Wissen des Autors ebenso wenig gegeben wie den
Toten, Charles Parker, eine Köchin namens Irina im
Haus der Familie Lutteroth oder Heinrich Boller bei der
Deputation für das Auswandererwesen. Trotz möglicher
Namensgleichheiten ist auch das Schiff *Mirinda* und
dessen Mannschaft frei erfunden, obwohl die Vorgänge
im Londoner Hafen zur damaligen Zeit denkbar gewesen sein könnten. Nicht nur in englischen Bergwerken
war Kinderarbeit bis in die siebziger Jahre des 19. Jahrhunderts durchaus üblich, und selbst nach 1892 wurden
Einwandererkinder mit ansteckenden Krankheiten auf
Ellis Island vor New York von ihren Eltern getrennt und

zurück nach Europa geschickt. Den namengebenden «eisernen Wal» hat es – wenn auch denkbar – 1862 in Hamburg nicht gegeben.

Alle anderen Ähnlichkeiten in diesem Roman sind nicht zufällig und vom Autor beabsichtigt, denn sie entsprechen weitgehend der historischen Realität. Senator *Gustav Heinrich Kirchenpauer* (1808–1887), späterer Gegner der Bismarck'schen Politik, galt als Vertreter völliger Handelsfreiheit ohne staatliche Bevormundung. 1848 war er Vorsitzender im Marinekongress und unterstützte zusammen mit Cesar Godeffroy und Sloman den Plan zum Aufbau einer deutschen Kriegsflotte. 1858–64 agierte der langjährige Präses der Polizeideputation als Amtmann zu Ritzebüttel. Auch *Edgar Daniel Ross* (1807–1885), der 1848 zusammen mit Ernst Merck in der Frankfurter Nationalversammlung gesessen hatte und 1862 Präses der Commerzdeputation war, galt ebenso wie *Carl Friedrich Petersen* (1809–1892) als Befürworter einer deutschen Marineflotte.

Adolph (Adi) Woermann (1847–1911) wurde mit 27 Jahren Teilhaber im Leinenhandels- und Reedereigeschäft seines Vaters Carl (1813–1880). Unter der Regie des späteren Präses der Handelskammer und Reichstagsabgeordneten stieg die heute noch existierende Firma im Afrikahandel zu einer der bedeutendsten deutschen Reedereien auf. 1890 fusionierte die Afrika Dampfschifffahrts-AG (Woermann-Linie) mit der Deutsch-Ostafrika Linie. Woermann war im Jahr 1862 15 Jahre alt und ist deshalb in diesem Buch Sören Bischops Klassenkamerad. *Ferdinand Laeisz* (1801–1887), 1847 Gründungsmitglied der Hapag, wurde nach ersten Schiffskäufen 1856 zu einem der führenden Hamburger Reeder. 1852 war sein einziger Sohn, *Carl* (1828–1901), als Teilhaber in die väterliche Firma eingetreten. Das erste selbst gebaute Schiff, die Bark *Pudel*, lief 1857 vom Stapel. Der Schiffsname – angeblich durch die Frisuren von Gattin *Sophie Laeisz* (1831–1912) und deren Spitznamen inspiriert – bildete den Auftakt zu einer bis heute gültigen Tradition, nach der alle Schiffsnamen der Reederei mit einem «P» beginnen. Vor allem die schnellen Salpeter-Clipper und Flying-P-Liner (Pamir, Passat, Preußen etc.) der Reederei erlangten auf Grund ihrer schnittigen Formen und der waghalsigen Idee, Kap Hoorn im Linienverkehr zu umrunden, Weltruhm. Das 1898 erbaute Kontorhaus *Laeisz-Hof* an der Trostbrücke ist bis heute Firmensitz der Reederei. Der Schiffsmakler und Reeder Robert Miles Sloman sen. (1783–1867) und dessen Sohn *Robert Miles Sloman jr.* (1812–1900) bauten 1851 das erste Trockendock des Hamburger Hafens auf Steinwerder. Die miserablen Zustände auf den Zwischendecks der Sloman-Segler, die vornehmlich Auswanderer beförderten, sind historisch verbürgt. Auch wenn auf Schiffen anderer Reedereien ähnliche Verhältnisse geherrscht haben mögen, so konzentrierte sich die damalige Kritik doch vornehmlich auf Schiffe der Sloman-Linie.

Johann Heinrich Schröder (1784–1883), Inhaber des 1846 gegründeten Bankhauses «Gebrüder Schröder & Co.», galt neben *Gottlieb Jenisch* (1797–1875) und Merck als einer der reichsten Bankiers in der Stadt. Das 1851/52 an der heutigen Schröderstiftstraße erbaute Stiftsgebäude sollte tatsächlich ursprünglich an der Rothenbaumchaussee errichtet werden. Die Hintergründe für die Überlassung des Bauplatzes sind bis heute schleierhaft. Sie können als exemplarisch für die Interessenkonflikte und -abwägungen solcher und anderer baulicher Projekte in der

Hansestadt nicht nur im 19. Jahrhundert angesehen werden.

Ascan Lutteroth (1783–1867), seit 1835 Senator und ab 1861 Bürgermeister, war verheiratet mit Juliane Friederike Charlotte von Legat. Die Familie wohnte bis 1869 am Neuen Wandrahm 6. Das Kehrwieder- und Wandrahmviertel – und damit die ältesten, schönsten und nobelsten Kaufmannshäuser der Stadt – wurden 1881 bis 1884 für den Bau der Speicherstadt und zur Schaffung des Freihafens abgerissen. Die damaligen Verhandlungen über den Beitritt Hamburgs zum Deutschen Zollverein führte *Johannes Versmann* (1820–1899), der 1887 Bürgermeister wurde. Als bisheriger Präsident des Handelsgerichts war Versmann zum ersten Präsidenten der Bürgerschaft nach 1860 gewählt worden. Seit 1861 war er Senator.

Hannibal Moltrecht, Sprützenmeister der Hamburger Feuerwehr, entwickelte und baute 1863/64 die erste dampfbetriebene Feuerspritze des Kontinents. An Stelle von Clara Bischop fuhr *Amalie Dietrich* (1823–1891) im Jahr 1863 im Auftrag von Cesar Godeffroy für naturwissenschaftliche Studien nach Australien. Ihre Tochter, Charitas Bischoff, schrieb 1910 die Biographie ihrer Mutter und setzte ihr damit ein würdiges Denkmal. *Charles Robert Darwin* (1809–1882) veröffentlichte 1859 «On the origin of species by means of natural selection, or preservation of favoured races in the struggle of life».

Heinrich Matthias Sengelmann (1821–1899), seit 1853 Diakon von St. Michaelis, verlegte 1860 die aus einer Arbeitsschule hervorgegangene St.-Nicolai-Stiftung nach Alsterdorf, wo 1863 als Vorläufer der *Alsterdorfer Anstalten* auch ein Heim für geistig behinderte Kinder entstand. *Elise Averdieck* (1808–1907), Pädagogin und Schriftstellerin, gründete 1860 die Heilanstalt Bethesda. Der Komponist *Johannes Brahms* (1833–1897) hielt sich 1859–62 in Hamburg auf und bemühte sich vergeblich um die Leitung der dortigen Philharmonischen Gesellschaft. Eine Verbindung zwischen dem 1862 in Erwägung gezogenen Tunnel unter der Alster und den Grundbesitzern *Adolph Sierich* (1826–1889), *Julius Gertig* sowie *Alexander Bentalon Tornquist* (1813–1889) ist nicht belegt. *Cöllns Austernstuben* galten – bis zum unrühmlichen Ende des Restaurants im Jahre 2001 – als ältestes Feinschmeckerlokal der Hansestadt. Ursprünglich aus einer Austern-Handlung hervorgegangen, eröffnete die Familie das Lokal 1860 Ecke Brodschrangen und Dornbusch. 1888 wurde das alte Fachwerkgebäude durch einen Neubau ersetzt.

Die Hansestadt wurde bis 1892 mehrfach von großen *Cholera-Epidemien* heimgesucht. Obwohl verschiedene Mediziner bereits seit Mitte des 19. Jahrhunderts einen Bazillus hinter der Krankheit vermuteten und folglich annahmen, dass sich die Cholera in den Städten über das Trinkwasser ausbreitete, wurden selbst nach Isolierung des Erregers 1883 durch Robert Koch noch heftige Kontroversen über die Krankheit und notwendige Gegenmaßnahmen geführt.

Ähnlichkeiten zwischen dem *eisernen Wal* und den *Brandtauchern*, die der bayerische Artillerie-Unteroffizier *Wilhelm Bauer* erstmals 1850 für die schleswig-holsteinische Marine während des Krieges mit Dänemark entwickelte, sind nicht zufällig. Über den ersten Tauchapparat von Bauer, der erst 1887 vom Grund des Kieler Hafens geborgen wurde, existieren viele Berichte und Darstellungen – und viele Legenden. Die unter Marinehistorikern bis heute andauernde Debatte, ob das bei seinem ersten Tauchversuch gesunkene Boot auf Grund konstruktiver Mängel der Ballasttanks unter Wasser überhaupt manövrierfähig war, soll an dieser Stelle nicht fortgesetzt werden. Unbestritten gilt der Kieler Brandtaucher als erstes deutsches Unterseeboot, und Wilhelm Bauer entwickelte in den Folgejahren nahezu alle tauchtechnischen Konstruktionen, die bis in die Gegenwart für Unterseeboote charakteristisch sind (Tauchzellen, Trimmgewichte, Tiefenruder, Taucherschleuse, abwerfbare Ballastgewichte und Lufterneuerungsanlagen). Bauer experimentierte bei seinen Projekten auch mit unterschiedlichen Antriebsmaschinen, unter anderem mit Gas- und Petroleummotoren, Wasserstrahl- und Pressluftmaschinen. 1855 konstruierte Bauer während des Krimkrieges zusammen mit den Ingenieurmechanikern Leutnant Schanin und *Oberleutnant Jurjew* ein weiteres U-Boot und machte erfolgreiche Tauchversuche auf der Reede von Kronstadt. 1859 war bereits ein Tauchschiff bei der Rheinregulierung eingesetzt, aber erst 1864 wurde im Amerikanischen Bürgerkrieg erstmals ein Kriegsschiff von einem U-Boot versenkt.

Brehm's Tierleben (6 Bde., 1864–69) gilt bis heute als Klassiker und Standardwerk der Zoologie. Dr. Alfred Brehm (1829–84) wurde auf Vorschlag Ernst Mercks, des Gründers der Zoologischen Gesellschaft, zum ersten Direktor des 1863 auf dem heutigen Gelände von «Planten un Blomen» eröffneten Zoologischen Gartens in Hamburg ernannt.

Ernst Merck (1811–1863), Sohn von Senator Heinrich Johann Merck, übernahm 1853 nach dessen Tod das Bankhaus des Vaters und führte die Firma zusammen mit seinem Schwager, Justus Ruperti, an die Spitze der Hamburger Merchant-Banking-Häuser. 1848 war er zusammen mit Edgar Daniel Ross und Moritz Heckscher als Hamburger Vertreter in die Frankfurter Nationalversammlung gewählt worden, wo er sich neben der Beibehaltung des freien Handels vor allem für den Aufbau einer deutschen Marineflotte einsetzte. Merck gehörte auch der Delegation an, die 1849 König Friedrich Wilhelm IV. von Preußen namens der Nationalversammlung in Berlin erfolglos die Kaiserwürde antrug. 1849 wurde er Vertreter des Kriegsministers im Marineministerium und war nun auch für den Aufbau einer deutschen Flotte zuständig. Auf Initiative und unter Vorsitz von Senator Kirchenpauer waren in Hamburg Regierungsvertreter und Reeder bereits zu einem Marinekongress zusammengekommen, in dessen Folge Godeffroy und Sloman der Stadt je einen zum «Kriegs»-Schiff umgebauten Segler schenkten. Gegen blockierende dänische Schiffe vor der Elbmündung wurden so insgesamt 11 Kriegsschiffe und 26 Kanonenboote unter schwarzrotgoldener Flagge in Bremerhaven stationiert. Nach Auflösung der Zentralgewalt in Frankfurt mussten die Schiffe der Flotte versteigert werden, da insbesondere England Kriegsschiffe unter dieser Flagge nicht anerkennen wollte und angekündigt hatte, sie wie Piratenschiffe zu behandeln. Enttäuscht über die Ergebnislosigkeit der Nationalversammlung, kehrte Merck nach Hamburg zurück und fühlte sich in der Folgezeit mehr Österreich als Preußen verbunden, was durch die Weigerung Preußens, Hamburg während der Wirtschaftskrise von 1857 zu helfen, nur noch verstärkt wurde. Schließlich war es Österreich, das mit einem Darlehen über 15 Millionen Bankomark kurzfristig aushalf und die großen Hamburger Unternehmen vor dem Ruin rettete. Auf Grund seiner Verdienste um die Finanzierung der Eisenbahnlinie zwischen Wien und Salzburg wurde

Merck 1860 der Titel eines österreichischen Freiherrn verliehen.

Sein älterer Halbbruder, *Carl Merck*, verheiratet mit Louise Godeffroy, war als Senatssyndicus für alle Schifffahrts-, Hafen- und Eisenbahnangelegenheiten in der Stadt zuständig. Er führte von 1859 an die Verhandlungen über den Betrieb einer Umschlaganlage an der Nordseite des Sandthor-Beckens mit der Direktion der Berlin-Hamburger Eisenbahn-Gesellschaft. Genauso wie *Franz Georg Stammann* (1799–1871), der sich als Wortführer einer Gruppe von Parlamentariern für eine Finanzierung der Kaivorsetze durch diese Eisenbahn-Gesellschaft einsetzte, war Merck bis 1867 Mitglied in allen Ausschüssen für die Hafenerweiterung. Bereits 1854 hatte Merck vorgeschlagen, den gemeinsam von Walker, Lindley und Hübbe entworfenen Hafenplan, der Dockanlagen mit Schleusen vorsah, zur Grundlage für alle künftigen Hafenerweiterungen zu machen.

Vor allem *Johannes Dalmann* (1823–1875) ist es zu verdanken, dass es dazu nicht kam. Seit 1856 betrieb der spätere Wasserbaudirektor intensive Studien über die Bedürfnisse des modernen Dampfschiff- und Eisenbahnverkehrs. 1857 beriet er die von Adolph Godeffroy geleitete Arbeitsgruppe der Commerzdeputation bei der Planung der zukünftigen Hafenanlagen auf dem Grasbrook. Zuletzt konnte Dalmann alle zuständigen Gremien von den Vorteilen eines Tidehafens gegenüber dem Modell eines Dockhafens mit Schleusen überzeugen. Dabei war vor allem die Beschleunigung des Umschlagverkehrs entscheidend, denn ein Tidehafen ermöglichte einen schnelleren Warentransport zwischen Elbe und Hafen sowie zwischen Hafen und Stadt. Der Präses der 1856 gegründeten und 1961 aufgelösten Grasbrookkommission, *Senator Sieveking*, der inzwischen auch zum Leiter der zuständigen Schifffahrt- und Hafendeputation ernannt worden war, beauftragte Dalmann 1859 mit der Anfertigung genauer Pläne. Als erster Bauabschnitt sollte demnach eine hölzerne Kaivorsetze an der Nordseite des Hafenbeckens errichtet werden. Das Vorhaben wurde am 15. Mai 1862 verabschiedet. Im gleichen Jahr ließ sich Dalmann bereits Probemodelle unterschiedlicher Dampfkräne am Sandthorbecken vorführen, unter anderem von den Firmen Schmilinsky & Söhne, Waltjen & Co. sowie Brown, Wilson & Co. und *Appleby Brothers* aus England. Die endgültige Entscheidung für den Brown'schen Dampfkran fiel erst 1866, zwei Jahre nachdem man mit dem Bau der Kaischuppen begonnen hatte.

Dalmanns hartnäckigster Gegenspieler in Sachen Hafenausbau war Wasserbaudiektor *Heinrich Hübbe* (1803–1871). Nachdem es zwischen 1854 und 1856 bereits Kompetenzstreitigkeiten zwischen Hübbe und dem englischen Ingenieur *William Lindley* (1808–1900) gegeben hatte, legte sich Hübbe wegen fragwürdiger Grundstücksverkäufe auf dem Areal des Grasbrooks mit dem Senat an und unterstellte einzelnen Senatoren geheime Spekulationen, woraufhin der Senat disziplinarische Maßnahmen gegen Hübbe beschloss und an die Polizeideputation weiterleitete. Der dortige Präses, Senator Kirchenpauer, setzte ein fiskalisches Verfahren mit einer Anklage vor dem Niedergericht zum Zwecke der Amtsentfernung Hübbes durch, aber 1863 hob das Gericht die Suspendierung Hübbes überraschend auf. Schließlich wurde Heinrich Hübbe vom Präses der inzwischen geschaffenen Strom- und Hafenbaudeputation, Senator Hübener, auf dem Disziplinarwege entlassen.

Der spätere Oberingenieur der Baudeputation und Leiter der Stadtwasserkunst, *Franz Andreas Meyer* (1837–1901), kehrte nach dem Studium an der Polytechnischen Schule Hannover bei Conrad Wilhelm Hase 1862 in seine Heimatstadt zurück. Als Kondukteur der Schifffahrts- und Hafendeputation war er unter Dalmann für die Ausführung der Strombauten und Erdarbeiten des Sandthorhafens zuständig. Neben zahlreichen Verkehrsbauten und öffentlichen Anlagen, die er in der Folgezeit entwarf und realisierte, war Meyer vor allem für die Zollanschlussbauten des Freihafens – die Speicherstadt – verantwortlich. Aber mit dem Bau der «roten Stadt» wird erst im Jahre 1881 begonnen, als Hamburg längst Teil des Deutschen Reiches ist und Sören Bischop seinen 33. Geburtstag feiert …

~ *Glossar* ~

Admiralität Vorläufer der Schifffahrts- und Hafendeputation. 1623 begründetes und für administrative und seerechtliche Belange aus Vertretern des Rats und der Kaufmannschaft zusammengesetztes Kollegium.

Balkweger (Balkwäger) Die Balken (Planken) auf der Innenseite des Schiffskörpers, die den Decksbalken als Auflagepunkte dienen.

Bark Hochseesegler mit mindestens drei Masten, wobei die vorderen Masten Rahsegel haben und der hintere Mast (Besanmast) ein Gaffel- und meist ein Gaffeltoppsegel.

Bramsegel Drittes Rahsegel (von unten).

Clipper (Klipper) Ausschließlich für sehr hohe Geschwindigkeit konstruierte und getakelte Hochseesegler zum Transport von Tee und leicht verderblichen Gütern.

Dalben Im Bündel ins Wasser gerammte Pfähle zum Festmachen der Schiffe oder als Rammschutz vor Einfahrten.

Dock 1. Reparaturanlage für Schiffe. Man unterscheidet Trockendocks, ins Ufer hineingebaute Becken, die mit Toren verschlossen und leergepumpt werden können, sowie Schwimmdocks, hohlwandige Behälter mit U-förmigem Profil, die durch Fluten bzw. Leerpumpen mitsamt dem darin befindlichen Schiff angehoben bzw. abgesenkt werden können. 2. Mit Schleusen bzw. Toren abgeschottete Hafenbecken, in denen

Schiffe unabhängig vom Tidehub und den Gezeiten liegen und abgefertigt werden können (Londoner Hafen).

Ewer Regionaler Frachtsegler. Unterschiedliche Formen und Größen zwischen 10 und 20 Metern Länge. Immer flachbodig mit legbarer Takelage. Ab den zwanziger Jahren des 19. Jahrhunderts auch mit zwei Masten. Häufig seitliche Kielschwerter. Wichtiges Transportmittel zwischen den Obst- und Gemüseanbaugebieten der Niederelbe und den Hamburger Märkten.

Gaffelsegel Mit der Oberkante an einer Gaffel, das heißt an einer diagonalen und beweglichen Mastverlängerung befestigtes, viereckiges Segel. Das zwischen Gaffel und Mast angeschlagene dreieckige Segel bezeichnet man als Gaffeltoppsegel.

Galjon Oben vor dem Bug eines Schiffes vorspringender Ausbau, an dem häufig eine «Galjonsfigur» befestigt ist.

Heckstützen Krummhölzer, durch die die Form des Hecks gebildet wird.

Helling (Helgen) Bauplatz und Montagegerüst auf Schiffswerften. Zum Wasser hin geneigt, damit der schwimmfähige Rumpf des Schiffes beim «Stapellauf» ins Wasser gleiten kann.

Höft Haupt, Spitze.

Kaje (Kai, Quai) Ufereinfassung.

Ketelklopper Kesselreiniger auf Dampfschiffen.

Kielschwein Ein Balken, der längsseits über dem Kiel auf die Spanten gelegt wird.

Klüshölzer Dicke Hölzer mit eisenverstärkten Löchern auf beiden Seiten vorn am Bug zum «Durchfahren» der Ankerkette. Wie zwei Augen sitzen sie rechts und links vom Bug des

Schiffes – daher die Redewendung «eins auf die Klüsen kriegen».

Klüver Am Klüverbaum befestigtes, zum Manövrieren des Schiffes wichtiges Vorsegel (Stagsegel).

Kniehölzer Holzstück mit zwei im Winkel eingeschlagenen oder ausgehobelten Armen.

Kranbalken (Krahnbalken) Starker Balken am Bug außenbords zum Tragen des Ankers beim Fallenlassen oder Aufwinden.

Krummhölzer Krumm gewachsene oder gebogene Hölzer beim Schiffbau.

Kugelfender Runder Fender unterschiedlicher Größe, der als Ramm- und Scheuerschutz der Bordwand außenbords gebracht, das heißt über die Reling gehängt werden kann.

Marssegel Drittes Quer-(Rah-)segel von oben.

Nietenklopper Nieter.

Ohrhölzer Hölzer am Vorsteven, zwischen denen der (das) Bugspriet liegt.

Pilaster Nicht frei stehender, sondern an der Wand (Mauer) vorspringender Pfeiler. Häufig allein zu dekorativen Zwecken eingesetztes Gestaltungsmittel an der Fassade.

Poller Massiver Haltepunkt zum Festmachen der Leinen und Trossen auf Schiffsdecks und an Kaimauern.

Quai (Kaje, Kai) Ufereinfassung.

Rahen Querschiffs waagerecht und beweglich am Mast angebrachte Rundhölzer zum Tragen der (Rah-)segel.

Riemen Seemännische Bezeichnung für die «Ruder» zum Rudern, Pullen oder Wriggen. Im Gegensatz zum Ruder an einem

Boot/Schiff, das ausschließlich zum Steuern und Manövrieren dient.

Rippenhölzer Zwischenhölzer der Spanten oder der Decksbalken.

Schauertrupp Für das Be- und Entladen der Schiffe zuständige Hafenarbeiter, die während einer Schicht häufig in so genannten «Gangs» (Trupps) zu festen Gruppen eingeteilt wurden.

Schoner Hochseesegler mit zwei oder drei Masten ohne Rahsegel.

Schute Breites und kielloses Transportboot ohne eigenen Antrieb, das entweder gestakt oder geschleppt werden muss. Mit den Ewern zusammen wichtigstes Transportmittel auf Hamburgs Binnen- und Hafengewässern.

Spanten Die «Rippen» des Schiffsrumpfes. Sie bestehen aus je zwei miteinander verbundenen Hölzern und werden aus mehreren Stücken von unten nach oben zusammengesetzt.

Steven (Vorder-, Ruder- oder Achtersteven) Starkes Krummholz, das den Schiffskörper vom Kiel aus nach vorne oder hinten begrenzt.

Takelage Masten, Segel, Tauwerk zum Halten und Führen derselben, kurzum fast alles, was sich oberhalb des eigentlichen Schiffskörpers befindet.

Tampen (auch: Enden. Seemänn. für: Seile) Taue, Enden eines Taues.

Vollschiff Mindestens dreimastiger Hochseesegler ausschließlich mit Rahsegeln.

Vorsetze Hölzerne Spundwand aus Eichenbohlen, die zur Sicherung gegen Ausspülungen ans Ufer «vorgesetzt» wurde. An Vorsetzen konnten Schiffe direkt am Ufer festmachen.

Waisengrün Seit 1633 zum Wohle der Waisenkinder organisiertes Hamburger Volksfest (bis 1876). Jeweils am ersten Donnerstag im Juli.

Wasserschout Personeller Vorläufer des Seemannsamtes. Von 1691 bis 1873 für die An- bzw. Abmusterung von Seeleuten, Heuer, Besatzungslisten und Schiffsmeldungen sowie Beschwerden zuständig.

Petra Oelker
Tod am Zollhaus *Ein
historischer Kriminal-
roman*
(rororo 22116 und als
Großdruck 33142)
Mit ihrem ersten Roman um
die Komödiantin Rosina
eroberte Petra Oelker auf
Anhieb die Taschenbuch-
Bestsellerlisten.

Der Sommer des Kometen
*Ein historischer
Kriminalroman*
(rororo 22256 und als
Großdruck 33153)
Hamburg im Juni des Jahres
1766: im nahen Altona
sterben kurz nacheinander
drei wohlhabende Männer
unter seltsamen Umständen.
Und wieder nimmt sich die
Schauspielerin Rosina mit
ihrer Truppe der Sache an.

Lorettas letzter Vorhang
*Ein historischer
Kriminalroman*
(rororo 22444)
Hamburg im Oktober 1767:
Zum drittenmal geht Rosina
gemeinsam mit Großkauf-
mann Herrmann auf Mörder-
jagd.

Die ungehorsame Tochter
*Ein historischer Kriminal-
roman*
(rororo 22668)

Die zerbrochene Uhr
*Ein historischer Kriminal-
roman*
(rororo 22667)

Bild der alten Dame
(rororo 22865)

PETRA OELKER
Die ungehorsame Tochter

EIN HISTORISCHER KRIMINALROMAN

Petra Oelker u. a.
Der Dolch des Kaisers *Eine
mörderische Zeitreise*
(rororo thriller 43362)
Petra Oelker, Charlotte
Link, Siegfried Obermeier,
Thomas R. P. Mielke u. a.
beschreiben die unheilvolle
Reise eines Dolches durch
die Jahrhunderte, in denen er
seinen Besitzern Mord, Verrat
und Totschlag bringt.

Petra Oelker (Hg.)
Eine starke Verbindung *Mütter,
Töchter und andere
Weibergeschichten*
(rororo 22752)
Die Geschichten namhafter
Autorinnen erzählen von
Erlebnissen mit der anderen
Generation.

Der Klosterwald
352 Seiten. Gebunden
Wunderlich

rororo

Weitere Informationen in der
Rowohlt Revue, kostenlos in
Ihrer Buchhandlung, und im
Internet: www.rororo.de